社会を変える23章
そして自分も変わる

川田忠明

新日本出版社

はじめに

　社会は変わるのか。より良い未来はあるのか。そのために行動する意味は何か。こうした「問い」に、向きあうことは、実は、自分自身の生き方を考えることでもあります。

　本書は、2013年の春に新日本婦人の会（新婦人）中央本部に勤務する若い方々といっしょにおこなった「対話講座」（全6回）をベースにしたものです。

　「対話講座」では、私たちがいま直面する問題よりも、社会の仕組みから人間の歴史、場合によっては人間として生きる意味にまでも視野をひろげて議論をしました。「対話」というネーミングのとおり、講義を一方的に聴くのではなく、私が質問を出して、みんなで討論していくというものでした。思わぬ方向に話が発展することもありましたが、そこで話しあった内容は、様々な運動に参加している、あるいは、しようと思っているすべての若い人たちに役に立つものでした。

　本書は、「対話講座」の成果ですが、講座の内容を再現したものではありません。むしろそこでの討論とともに、その後の情勢や様々な運動の発展――とくに戦争法案に反対する歴史的な運動のたかまり――のなかで議論したことや語ってきたことなど、新たに書きおこしたものが多くを占めます。

　一章ごとに話が完結していますので、どこから読んで、どこで終わってもいいようになっています。気になったところをつまみ食いして

ください。
　みなさんが社会や運動のこと、自分の生き方を考えるうえで、少しでも役に立てれば幸いです。

社会を変える23章 そして自分も変わる＊もくじ

はじめに 3

I 社会は変わるのか 7

1章　変化はいつはじまるのか 8
2章　アマゾンで生き残れない人間 13
3章　《マグロの教訓》を生かす 17
4章　なぜ運動が必要なのか 23
5章　署名や集会の意味は何だろう 28
6章　選挙に行く意味はあるのだろうか 35

II 平和は理想ではない 39

7章　戦争はなくせるのか 40
8章　どうやって日本を守るのか 46
9章　日本の「強み」は何か 58
10章　自衛隊の好感度が高いのはなぜか 65
11章　なぜ給食はパンだったのか：日米関係を考える 68

III 歴史をすすめる力　75

12章　誰が政治を動かしているのか　76
13章　「永遠の愛」はあるのだろうか　82
14章　「男らしさ」「女らしさ」とは何か　92
15章　「革命」はおこるだろうか　100

IV 資本主義という時代に生きる　103

16章　格差の何が問題か　104
17章　子育てストレスの原因は何か　112
18章　幸福はお金で買えるだろうか　118
19章　派遣労働も働き方のひとつではないか　126
20章　なぜ「わかっちゃいるけどヤメられない」のか　129

V その次にくる社会を想う　137

21章　浪費社会からぬけだす　138
22章　なぜ未来への希望がもてるのか　143
23章　人間の未来へのヒント　146

さいごに――自由へのたたかい　153

I
社会は変わるのか

1章
変化はいつはじまるのか

　もうはじまってます。すでに私たちは、その変化を目のあたりにしています。

　2015年8月30日、国会前は安倍晋三政権の戦争法案（安保法案）に反対する12万人の人々で包囲されました。思い思いのプラカードをもった学生、ママたちやサラリーマンなど、一人ひとりが自分たちの意思で参加しました。3年前の2012年6月29日には、首相官邸前が、脱原発を求める20万人の人々で埋めつくされました。言いたいことがあったら国会前でも、駅前でも、広場でも、「集まって声を上げる」ことが、あたり前の社会へと日本は変わったのです。

　この変化はこれからもつづき、発展するでしょう。そして、政治を変える力となっていくはずです。

　2014年台湾で、「ひまわり運動」といわれた大きな学生運動がありました。台湾政府が中国と貿易のとりきめを一方的にすすめることに反対したものでした。同年3月30日の集会には35万人が集まるなど多くの市民も参加し、海外のメディアも注目しました。学生たちはカ

ンパを集めて、「ニューヨーク・タイムズ」に意見広告をだしました（2014年3月29日）。

　紙面の大半を黒く塗りつぶし、その一番上に「午前4時の民主主義」の文字が書き込まれていました。それは彼らが国会で抗議の座り込みをはじめた時刻でした。「午前4時は非常に暗い時間のように感じるかもしれません」「しかし、民主主義の夜明けはそう遠くないはずです」──こう訴える文章に、アメリカの詩人、エミリー・ディキンソンの言葉がそえられていました。

　　あなたのいない朝は暗闇の夜明け
　　"Morning without YOU is a dwindled dawn"（＊1）

　この運動があった年の11月、台湾の地方選挙で与党が大敗し、台北市ではじめて無党派の候補が当選しました。メディアは、若い世代が、「与党への怒りを投票で示した」と報じました（＊2）。それまで3割ほどだった20〜40歳の投票率が大幅にアップしたのです。若者が「自発的思考で政治を判断するようになった」と言われました。
　「あなたのいない朝は暗闇の夜明け」という言葉はとても印象的です。「ここにいる私」があなたを待っている。YOU が大文字なのは、これを読んでいる「あなた」に訴えているからです。切なさすら感じさせるこのメッセージは、多くの人々をひきつけました。この新聞広告は大成功でした。
　人々が、若い世代が、自分たちにしかない感性で語り、行動しはじめるとき──それは、世の中が変わりはじめるきざしでもあるのです。

*1　エドワード・タッカーマン夫人宛て書簡
*2　台湾紙「聯合報」(電子版)2014年11月30日付

「日本にそういう『きざし』はありますか？」

「私たちは、自由と民主主義に基づく政治を求めます」「担い手は10代から20代前半の若い世代です。私たちは思考し、そして行動します」——これは戦争法案の廃案をめざしてたたかった学生たち、SEALDs（Students Emergency Action for Liberal Democracy-s）の言葉です。彼ら、彼女たちは毎週金曜日の午後7時半ごろから国会前に集まり声をあげました。民衆が叫ぶ。それは民主主義の生の姿です。

　彼らの行動が多くの人々を、そしてメディアをもひきつけ、「総理がSEALDsを非常に気にしている」(＊3)とまで言われました。

　これまで若い世代がけっして沈黙してきたわけではありません。私も学生運動、青年運動に参加してきました。しかし、彼らの重要な特徴の一つは、若い文化のメインストリームのなかから生まれていることです。その世代に愛されるスタイル、デザイン、音楽、言葉……それらが行動を魅力的にしているのです。それは誰かに見てもらうためのものではなく、自分自身のための文化であり、主張なのです。

　「憲法カフェ」「教えて！ アンポンタン！」などで有名になった「明日の自由を守る若手弁護士の会（あすわか）」の田中淳哉氏は、広範な人々が活動に参加する抵抗感を減らすために、内容をしっかりおさえたうえで、「かわいく、かっこよく、面白くなど、あまり本質的でない部分での工夫」に力を入れてきたと言っています(＊4)。

*3 『週刊ポスト』2015年7月17・24日号
*4 『世界』2015年10月号

「スタイルが大事なんですか？」

　大事です。それは、ある意味で「本質的」な問題でもあります。
　社会が変革をとげるときは、かならずと言っていいほど文化的な変革がおきます。フランス革命（1789年）では、情報伝達手段として音楽が重要な役割をはたしました。ニュースやメッセージをオラトリオ（音楽劇）にして、人々に知らせました。文字を読めない庶民が多かったからです。当時の作品の多くは残っていませんが、その後のヨーロッパ音楽の発展に大きな影響をあたえる事件となりました。
　ロシア革命（1917年）でも似たようなことがおきました。革命期には、文字の読めない人に情報を伝えるために演劇や絵をふんだんに使った壁新聞などがひろがりました。そのなかで新しい文学や絵画、デザインが生まれていきました。それらはロシア・アヴァンギャルドなどとよばれ、西ヨーロッパの芸術にも大きな影響をあたえました。
　20世紀後半にもベトナム戦争に反対する運動のなかでおこなわれたウッドストック・フェスティヴァル（1969年）などの「カウンター・カルチャー」（体制的で、商業主義的な既成の文化に対抗する流れ）が大きなインパクトをもちました。
　戦争法案に反対した若者たちの言葉が人々をひきつけたのは、それが自分が選びとった文化のなかで語られたからです。他人が読みあげてもいい言葉は、どこにもありません。そこにいる彼、彼女が語るこ

とによってのみ意味をもち、力をもつ言葉なのです。だれかに言われたからではなく、一人ひとりが自分で考えて決めて、自分の時間をさいて、ときには約束やバイトもキャンセルして、自分のお金で電車を乗り継いでやってくる——この自立した一人の人間としての行動、主権者としての行動ほど力強く、権力者にとって怖いものはありません。この運動の文化の変化は、社会の変革につながる大きな可能性をひめたものです。

　そして、それを育んできたのが、日本国憲法であり、それを守り生かすことをめざしてきた運動の70年近くにおよぶ、たえまない努力なのです。今この力が大きく花ひらく時代を、私たちはむかえているのです。

国会正門前で戦争法案の強行採決に抗議するSEALDsの学生たち。青年、女性、年配の人たちが世代を超えて抗議行動に参加しました。
2015年7月（提供＝しんぶん赤旗）

2章
アマゾンで生き残れない人間

「ネットショッピングの話ですか？」

いえ、南米のアマゾン川を中心にひろがるジャングルのことです。

色とりどりの蝶や鳥、みどり鮮やかな森林、めずらしい動物たち。テレビなどで見ているぶんには、楽しいですが、あなたがここに一人でほうりだされたことを考えてみてください。しかも、他の生き物とまったく同じ状態。つまり、食料も何ももたず、着るものもなく裸の状態です。おそらく、体は毒虫にさされ、熱帯雨林特有の大きな葉で、傷だらけになるでしょう。裸足では、草木がおいしげる地面を歩くこともできず、そうこうしているうちに、爬虫類や野獣の餌食になってしまうかもしれません。生きて帰れる可能性はすくないでしょう。

アマゾンには多くの生き物がいます。ピラニアを思いうかべますが、魚もナマズの仲間だけで、500種以上。トカゲやヘビなどは450種以上、カエルの仲間も1000種以上いるそうです。しかも、毎年新しい生き物が見つかっており、いまだに何種類の生物が生息しているのか

正確にはわからないそうです。世界の全生物の15〜30％に当たる、80万〜500万種の生物がいるとも言われています（＊1）。多くの生き物にとっては「天国」のような場所です。

しかし、生身の人間にとってはまさに「地獄」です。アマゾンにいることを想像すると、人間は多くの点で、他の生物より劣っていることがわかります。多くの生き物は、人間より速く、遠くまで移動できます。長く飛んだり、泳いだりできます。夜でも目が見えたり、わずかなにおいでも嗅ぎ取ったりできる能力があるものもいます。そして何よりも「すぐれている」のは、餌をそのまま（料理をせずに）食べることができることです。

＊1　駐日ブラジル大使館ホームページより

「人間には高い知能があると思いますが」

しかし、アマゾンの密林で哲学や数学があなたの身を守ってくれるでしょうか。いつもは頼りになるスマホもパソコンもありません。

自然のなかに一人でほうりだされたら、人間に勝ち目はありません。ゴキブリ、ヘビ、猫、犬、猿が同じ目にあったとしたら、人間よりは生きのびるでしょう。人間は一匹、いや一人では、きわめて弱々しい生き物なのです。

では、そのか弱い生き物がなぜ今は、地球上にひろがり、わがもの顔ではびこっているのでしょうか。その秘密の一つは「協力する能力」です。

人間は、さまざまな役割を分担し、他の人々のために仕事をしたり、ものを作ったりしています。この仕組みが、一人ではか弱い生物である人間を守っているのです。危険な外敵や風雨から身を守る住まいに寝起きし、寒さに耐える温かい衣服を着て、遠い海や山でとられ、食べやすく加工された食品を口にできるのは、多くの人々の分業と協力があるからです。それは、お互いに足りない部分をおぎない、また、一人ひとりが得意とする能力を発揮することでもあります。

　人間は太古の時代から、病人やけが人、障害者や高齢者などへの配慮がありました。フランスのマルセラン・ブールという人類学者が、1908年にフランス南西部で発見したネアンデルタール人（現代の私たちのような人類より前から地球上に存在したヒト属で、その後消滅してしまいました）の骨は、関節炎で歩くことが困難で、歯も2本しかありませんでした。ところが彼は、ネアンデルタール人の平均寿命（30代）よりもかなりの高齢（40～50歳）でした。ということは、彼は仲間から何年も特別の食べ物を与えられるなど、人々の手助けを受けて、長生きしてきたと考えられます。

　原始時代の人類というと、こん棒をふりまわして獲物を追う姿を想像するかもしれませんが、私たちにつながる祖先は、力をあわせ、仲間を思いやる優しい人々だったようです。

　人々が協力しあう——そこには様々な能力や個性をもつ人がいて、それぞれが必要な仕事をする。また、力をだすことができない人々も共同で支える。そうしたことができる能力によって人間は、厳しい自然（氷河期という大変ハードな時代も人類はくぐりぬけました）を生きのび、多くの子孫をのこし、繁栄してきたのです。

　この教訓をいま私たちは、しっかりと受けついでいるでしょうか。

「自己責任」「競争」「勝ち組」と「負け組」などという言葉があるように、他の人をおしのけてでも先に行くことが、価値あることのように言う人がいます。しかし、人間の歴史の教訓を忘れてしまうなら、それは、弱い存在である人類が、自分たちを守ってきた手段＝共同の力を失うときかもしれません。しかし、その歴史の教訓を生かすならば、今の社会をより良くするヒント、未来を希望あるものにするカギが見えてくるはずです。

3章
《マグロの教訓》を生かす

　東京の葛西臨海水族園は、100尾ちかくのカツオとマグロが回遊するダイナミックな光景が見られることで有名です。休日ともなると、多くの家族づれでにぎわいます。ところが2014年末から翌年にかけてそのほとんどが死んでしまうという事件がおきました。原因はよくわかりませんでした。

　水槽の中の熱帯魚が病気になったら、どうしたらいいか。その魚を別の鉢に移して、薬をいれて治療するという方法もあるでしょう。しかし、魚が病気になった原因が、水槽のなかにあったのなら、その魚を取り除いただけでは、問題は解決しません。元の水槽に残された別の魚もやがて病気になってしまうからです。水を取り替えるなど、魚のすむ条件を良くする必要があります。葛西臨海水族園も、さいごは水槽の水をいれなおし、環境を整えることにしました。その後2015年8月末には、この「名物水槽」は「完全復活」したとのことです。

　さて、いまこの話を《マグロの教訓》と呼ぶことにしましょう。そこには、人間の社会に生かすべき中身があるのです。

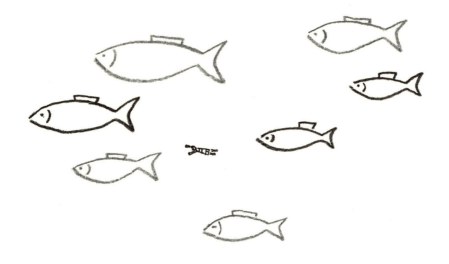

「なぜテロ組織に魅力を感じてしまうのですか？」

　過激テロ組織 ISIL（Islamic State in Iraq and the Levant）がイラクやシリアで多くの市民を殺害したり、遺跡をこわしたりして、大きな問題になっています。ISIL には80か国以上から「志願兵」が参加しています。3万人をこえる兵士のうち、ほぼ半数の1万6000人が外国人だと言われています（2015年1月現在）。なかには10代の女性もいます。とくにヨーロッパや北アフリカ、アラビア半島の国から多くの若者が加わっています。

　その理由はいろいろですが、イギリスやフランスから来た若者の多くは、ヨーロッパに移住したイスラム教徒の子や孫たちです。彼らはヨーロッパの国に生まれて、国籍や市民権をもっているのですが、様々な差別を受けています。就職や給料など経済面での差別もあり、

自立した将来設計がもちにくい、という不満があります。「自分が社会に受け入れられない」という気持ちも強まっています。

ISILはインターネット、FacebookやTwitterなどのSNS（ソーシャル・ネットワーキング・サービス）を使って、不満をもつ若者たちに「欧米は自分たち、アラブをしいたげている」「正義の国をつくろう」「ここに来ればまともな生活ができる」といったメッセージを送って、心をつかんでいます。近寄ってきた若者を、仲介者がお金も出して現地に送り込むのだそうです。

「テロ組織は武力で一掃すべきでは？」

ISILにたいして、アメリカなどが空爆などをおこない、イラクの軍隊が地上でたたかってきました。しかし、これでは問題を本当に解決することにはなりません。力で一時的にテロ集団をおさえ込めても、ISILに魅力を感じ、リクルートされていく若者の心を変えることはできません。アメリカなどは、「テロとの戦い」だと言ってイラクやアフガニスタンで戦争をおこないましたが、テロは減るどころか、むしろ、あれ以来、世界中で増えています。戦争で家族を殺された無実の市民が、「かたきをうちたい」と思ってテロ組織の一員になってしまうこともあるでしょう。「テロとの戦争」が、テロをひろげているのです。

ヨーロッパでは、テロ組織に参加する若者や訓練を受けて帰国する者たちにたいして、国境でとりしまりをつよめようとしています。しかし、若者をテロリストにかり立てる原因を取り除かなければ、この流れはなくなりません。

《マグロの教訓》を思いだしてみましょう。水槽を現代の世界、病気の魚をテロリストになろうとする若者だとしましょう。

テロリスト志願者（＝病気の魚）だけをつまみだして、処分しても、社会（＝水槽の水）に原因があるのなら、それを取り除かない限り、新しいテロ志願者（＝病気の魚）が後から、後から出てくることでしょう。もちろんテロは犯罪であり、犯罪者は法と正義にもとづいて、きびしく罰しなければなりません。しかし、処罰だけでは問題の解決にはならないのです。原因を取り除くこと＝原因を生み出している社会を変えることがどうしても必要です。若者が社会に不満をもち、また疎外感を感じて、テロ組織に取り込まれるのなら、その不満を生み出す原因や仕組みそのものを変えなければなりません。

「私のまわりにテロリストはいませんが……」

問題はテロリストに限りません。
厚生労働省のホームページに次のような文章がのっています。

「フリーター数182万人、25〜34歳の若者の完全失業率は5.3％（2013年）と、若者の就職環境は厳しい状態にあります」（＊1）

地域でも若者の就労支援のとりくみがひろがっています。様々な理由から職につくことがむずかしく、自立できない若い人たちにたいするサポートをおこなっている自治体もあります。
同時に、この問題を根っこから解決するには、安定して職につくことのできない非正規雇用が増えつづけている、いまの社会の仕組みそ

のものを変える必要があります。

　企業は、正社員をたくさんかかえるよりも、必要なときだけ、必要な働き手を確保できれば、コストがおさえられると考えます。政府が、まず企業、とくに大企業がもうけやすくなることが、日本の経済を良くすることになる――という立場なら、非正規雇用をドンドン増やす政策をとるでしょう。実際、そうなってきました。日本の非正規雇用は、1980年代から1990年代の前半までは労働者全体の１〜２割程度でしたが、いまや37.4％（2014年）と４割に近づいています。ヨーロッパの国々と比べても異常な多さです。

　これは「多様な働き方」を求める若者のニーズにこたえたものだ、と言う人もいます。しかし、ここまで拡大すると、個人のライフスタイルといった程度の問題ではありません。これは政府が大企業のためにおこなっている国の政策なのです。

　ここでは、政府の政策が「水槽」です。一人ひとりの就労の問題を解決するとともに、いまの雇用政策そのものを変えていくことがどうしても必要なのです。

　このように、どんな問題にも社会的な背景があります。学校の「いじめ」も、いじめる子たちといじめられる子の問題のように見えますが、それはクラスの問題であり、学校の問題であり、地域の問題であり、教育のあり方の問題であり、さらにはそうした教育を求める社会や政治の問題でもあるのです。

　　＊１　2015年５月29日閲覧

「すべては社会が悪いということですか？」

　そういうことではありません。個人の責任も当然あるでしょう。しかし、その背景にある社会と政治に目を向けることがないと、問題をかかえた個人だけを追いつめ、さらには、問題がくりかえされることもふせげないのです。「病気のマグロ」は治療しないといけませんが、水槽にも注意をはらわないと、全滅という悲惨な結末になりかねません。

　自分もふくめて一人ひとりが、問題を解決するために、努力することがまず大事です。同時に、その背景にある社会や政治のあり方にも目を向け、その問題点をあきらかにし、それを改善していくことが大事だということです。

4章
なぜ運動が必要なのか

「自分のことは自分ですべき、
　という考えは間違っていますか？」

　全部間違っているとは思いません。子どもにも「自分のことは自分でしなさい」と言います。ただ、「なんでも自分でできる」と思うのは間違いです。ついでに言うと、「夢は自分の力で実現できる」などと思い込むのもどうかと思います。

　経済評論家の勝間和代さんという方の本が、働く女性のあいだで人気になったことがあります。仕事や子育て、家事に手をとられ、「自分に自信をもちきれない女性」に支持されたと言われました。

　「もし幸せになりたいのであれば、年収をあげること」（＊1）だと書かれました。「（1）年収600万円以上を稼ぎ、（2）いいパートナーがいて、（3）年をとるほど、すてきになっていく」（＊2）ことをめざせとも言われました。「効率を10倍」「年収10倍」にしよう──こんなメッセージが、「よし私もがんばる！」という気持ちをおこさ

せたのでしょうか。

　勝間さんに共鳴して行動する女性は「カツマー」と呼ばれました。しかし実際には、本を読んでも効果はあがらず、むしろ読むことに時間がとられて、よけいに仕事がたまり、そのことでさらにイライラが募るという悪循環になることもあったと言われます。

　「今の状態をかえるために、自分で努力する」のは大切なことです。それよりも大事なことは、「自分一人では解決できないことがある」ことを知ることです。「私だけのせいではない」と思えば気もらくになります。そう思ったことで、なにか不都合なことがおきるわけでもありません（口にだしていう必要はありませんが）。

　「３章《マグロの教訓》を生かす」でも話しましたが、一人ひとりがぶつかっている問題――仕事、勉強、家族、人間関係、いろんなモヤモヤ、嫌なこと――は、すべてこの日本の社会と世界という「水槽」のなかでおきていることです。一人ひとりの頭のなかで生まれて、消えるものではありません。目をつぶっても消えません。なんらかの形で、水槽の水に影響されて生まれているものです。ですから、個人が努力するとともに、この水槽の水を良いものにする必要があります。それは一人ではできません。集団の力が必要なのです。

*1　勝間和代『無理なく続けられる年収10倍アップ勉強法』（ディスカヴァー・トゥエンティワン、2007年）
*2　同『勝間和代のインディペンデントな生き方実践ガイド』（ディスカヴァー・トゥエンティワン、2008年）

「人まかせに聞こえますが」

　集団の力が「人まかせ」と違うのは、自分も動かないといけないということです。そのためには、同じ思いをもっている人同士が、つながる必要があります。みんなが同じことを思っているだけでは、行動ははじまりません。

　例えば、「原発は危ないから、全部なくしてほしい」「憲法を守ってほしい」「もっと賃金を上げてほしい」「待機児童をなくしてほしい」などの考えを、大勢の行動につなげるには、いつ、どこで、どのように集まるのか、などを決めて、その情報が共有される必要があります。ネットで拡散すればあっという間に、同じ気持ちや考えの人たちと共有できます。こういうことがすすんでいくと、「次はどうするか」「集まるだけでなくて、ビラやパンフなども必要ではないか」「新聞に意見広告をのせたらどうか」「そのためにはお金を集めないといけない」「中心になって考えたり、連絡をとってくれたりする人が必要」となってきます。

　こういう動きを「運動」と言います。動きも運動も英語でいうとムーヴメント（movement）ですが、体を動かす運動の方はエクササイズ（exercise）。水槽の水をかえるには、このムーヴメント＝運動が必要なのです。一人ひとりをつないだネットワークが、一つの意思をもって動きだすのが運動と言えます。

「けっきょく社会が変わるまで、何も変わりませんか？」

　政治や社会が変わらなければ、実現できない大きな目標もあるでしょう。同時に、それ以前にも手に入れられることはたくさんあります。さらに、忘れてならないのは、運動に参加すること自体に、大きな意味があるということです。

　運動でむすびついた人たちとの関係は、職場の同僚やクラスメート、家族などとはちょっと違います。それは自分たちの要求を実現するために行動する人たちです。自分のことだけではなく、自分をとりまくより大きな問題＝水槽の水に気をかけて、自分たちの意思で、力をあわせようとする人々の集まりです。それは、「２章　アマゾンで生き残れない人間」でお話ししたように、共同するという人間本来の姿でもあります。強制されて集められたのではなく、ある意味、自由な人々の集まりです。

　むろん人間ですから、ウマがあう、あわないということはあるでしょう。しかし、同じ目標を達成するために力をあわせるというのは、気が合うかどうかといった問題ではありません。場合によっては、それまで無関心だったり、競争の相手だったり、あるいは反目していた人々が、運動のなかでそれまでとは違う人間関係をもつこともありえます。「あの人、意外といい人ね」とか「もっと前からいっしょにやればよかった」と感じることもあるでしょう。

　自分の努力次第だと考えていた仕事の問題や、同僚や上司との人間関係の問題が、実は今の働き方を生み出している社会や政治の問題でもあると気づけば、自分自身や他の人を見る目やその人への感情も違

ってくるでしょう。学校の先生や同級生と子どもの関係の問題だと思っていたものが、学校ぐるみ、地域ぐるみで考えて、とりくむべき問題だと思えたら、新しい視野がひろがるはずです。

　こうした経験をつみかさねていくなかで、新しい人間関係を生み出したり、自分が成長したりしていくことでしょう。

　私たちはすでに、戦争法案反対の運動のなかで、それを体験しています。例えば、安倍政権は歴史を後戻りさせるような政治をすすめようとしましたが、それは実際には、大きな反対運動をひきおこし、歴史を前にすすめる若い主人公たちが「成長」していきました。

　この運動では、これまで集会やデモなどには参加したことのなかった人々が、自分で決めて、声を上げ、行動に立ち上がりました。小説家の高橋源一郎さんは次のように語っています。「政治と社会を破壊しつづける目論見が、その一方で、自分で考え、自分のことばとスタイルを作りだす、若者たちの新しい動きを生んだ」（SEALDsのパンフレットより）。ある若者は「戦争法で自分は変わった」と発言しました。

　こうした人々を結集する運動や団体は、未来の担い手を育てる場でもあるのです。

5章
署名や集会の意味は何だろう

「何のために署名運動をするんですか?」

署名は、一人ひとりの意見を目に見えるようにするものです。

国会にとどける請願署名というものがあります。請願とは、国民が国の政治にたいして「こうしてほしい」「これはやめてほしい」と直接国会に意見を言うことです。日本国憲法で保障された国民の権利の一つです（＊1）。そのやり方は「請願者の氏名及び住所を記載し、文書でこれをしなければならない」と法律に書かれています（＊2）。

このように自分の名前と住所を自分で書く＝署名するということは、国民が意見を言うやり方として、憲法で認められたもっとも基本的なものです。

「核兵器のない世界」の実現を要求する署名もあります。これは請願とは違い、自分たちの要求をアピールするものです。国会に提出する請願署名とは違いますが、国民一人ひとりが大きな問題について、意見をのべる大事な手段であることにはかわりません。同時に、こう

した署名運動には、賛成する人、共感する人を増やしていく、つまり、世論を広げていく、運動を発展させるという目的もあります。

  *1 【日本国憲法第16条】何人も、損害の救済、公務員の罷免、法律、命令又は規則の制定、廃止又は改正その他の事項に関し、平穏に請願する権利を有し、何人も、かかる請願をしたためにいかなる差別待遇も受けない。
  *2 【請願法第２条】請願は、請願者の氏名（法人の場合はその名称）及び住所（住所のない場合は居所）を記載し、文書でこれをしなければならない。

「署名は本当に力になるんですか？」

　署名はポイントやマイレージのように「いくつ集まると、これができます」というものではありません。しかし、その効果は、深いところから、じわじわと効いてくるものです。
　1950年、朝鮮半島で戦争がはじまりました。北朝鮮の侵攻ではじまったこの戦争は、南から米軍が、北からは中国も参戦して、軍人と民間人をあわせた犠牲者は、餓死した人も含めておよそ500万人ともいわれています。この戦争で劣勢に立たされたアメリカは核兵器を使うことを考えました。しかし、結局それは実行できませんでした。このときアメリカを思いとどまらせたのが署名の力、世論の力でした。原水爆の禁止を求めるストックホルム・アピール（1950年３月発表）に、世界で５億人、日本でも645万人が賛同の署名をしたのです。のちにアメリカの大統領補佐官や国務長官をつとめたヘンリー・キッシ

ンジャーさんは次のように書いています。

「全世界で5億人以上の署名が集まったという、1950年のストックホルム平和アピールにはじまる平和運動は、組織的な運動をおこなって、核兵器の使用に対する大衆の抗議、反対運動を促進してきた。……（これを）宣伝として放置したくなるが、それはきわめて危険である」（『核兵器と外交政策』1957年、原著より筆者訳）

彼は「署名なんて宣伝さ」と、タカをくくっていると、やがて「真綿で首をしめる」ように世論にとりかこまれて、やりたいこと（原爆投下）ができなくなってしまうと警告したのです。

原水爆禁止日本協議会（日本原水協）は、核兵器廃絶をもとめる署名を国連にとどけていますが、国連事務総長をはじめ、世界から高く評価されています（＊3）。

2010年に日本からとどけられた700万近くの署名は、国連本部でも展示されていました。これらは、署名という形で世論の力が示されれば、国際政治に大きな影響を与えられることを示しています。

＊3　「世界の心ある市民から何百万もの署名が寄せられている。これは、市民の希望と期待とを力強く想起させるものだ。われわれは、何年ものあいだ軍縮をかかげ、かくも多くのことをおこなってきた人々と団体とに感謝する」（潘基文国連事務総長、第9回核不拡散条約（NPT）再検討会議へのメッセージ、2015年4月27日、筆者訳）
　「署名運動は、核兵器のない世界を作るという大きなプロセスの中で、一人ひとりの市民に役割を与えるものです。軍縮は、政府だけの仕事ではありません。……多くの人々が声を上げれば、政治指導

者たちは耳を傾け、人々の意思に沿って行動するでしょう。」(タウス・フェルーキ第9回NPT再検討会議議長、2015年4月26日、筆者訳)

「そんなにたくさん集めるのは大変です」

　署名の力は数だけではありません。「署名をする側」にとっての意味があるのです。

　見知らぬ人に声をかけられて、自分の名前と住所という「個人情報」を書くのは、それなりの心理的なハードルがあります。署名するのは、少し大げさかもしれませんが、そのハードルをこえる「決心」をしたからです。ですから、署名をした人は、そのことを簡単には忘れないでしょう。次はもっと気軽に署名するかもしれません。誰かに署名したことを言うかもしれません。あるいは何か行動に参加してくれるかもしれません。

　実は、かく言う私も、大学生のときに原水爆禁止の署名に応じたのがきっかけで、平和運動に参加するようになったのです。住所や氏名どころか電話番号まで書いたので、いろいろお誘いがくるようになって、広島の原水爆禁止世界大会にいき、そこで受けた衝撃が、いまの私につながっているわけです。署名をする人の側にたって、その意味を考えることも大事だと思います。

「署名してくれない人もいますが」

「署名をしてください」と訴えること自体に大きな意味があります。訴えられた人のなかには、その場で反応がなくても、その後に「化学反応」がおきる人もいるかもしれません。何かの機会に、訴えられたことを思い出して、自分で考えてみたり、次に訴えられたときに、署名したりするかもしれません。振り向きもせずに通り過ぎる人にも、訴える声は確実にとどいているわけで、それはやがて芽を出す種となるかもしれないのです。

　何一つとして無駄なことはないのが、署名運動です。

「パレードや集会は一時的なもののような気がします」

　パレードや集会はたしかに、署名のように残りません。

　しかし、意見や気持ちを見える形にするという意味では、大きな意味があります。署名とは違って、視覚に訴えるという点での効果は、より大きいでしょう。

　例えば、国会周辺に多くの人が集まれば、国会議員もそれを目にするでしょうし、声も聞こえるでしょう。さらにテレビや新聞もとりあげて、多くの国民が目にするはずです。そのことによって、同じ気持ちをいだいていた人たちが、「私も」と行動に参加しはじめるでしょう。原発ゼロや特定秘密保護法反対、戦争法案反対の行動では、そうした反応が大きくひろがりました。

　国会議員が選ばれた地元でこうした行動をおこなえば、いっそう効

果的です。大きなプレッシャーになることは間違いありません。「次の選挙で当選するだろうか」と思わせるくらいに運動がもりあがれば、国会での行動も変わる可能性があります。また、自分の政党のなかで意見を言うかもしれません。

　さらに大事なことは、こうした行動が「言いたいことがあれば、行動で示すことができる」社会をつくることに役だっていることです。

　いまでは首相官邸前や国会前に大勢の人々が集まって、アピールすることは当たり前になっています。しかし、以前はそうではありませんでした。

　この場所で、脱原発の行動にとりくんできたミサオ・レッドウルフさんは、パレードは車道を歩くので許可がいるが、歩道に集まって、そこに止まって声をあげるのは自由だと思い、この行動をはじめた、と語っています。この行動におされて野田佳彦総理（当時）は、彼女をはじめ原発ゼロをめざす運動の代表たちと直接面会をせざるをえなくなりました（2012年8月22日）。

　憲法では、表現の自由、言論の自由が保障されています。しかし、それを実行するのは私たち一人ひとりです。思ったことを他の人にわかるように表現することは、ある意味、勇気のいることです。「本当に、ここで言ってしまっていいのか」「こんな行動をしてもいいのか」そんな気持ちが生まれるでしょう。ですから、みんなで集まって声を上げること、公の場で好きなやり方で表現すること、が当たり前の社会をつくるうえで、パレードや集会をすることは大きな意味をもつのです。

　署名にしろ、パレードや集会にしろ、それをおこなってきた人たちの長い努力があるからこそ、自由に運動のできる今日の社会がある

です。これからも自由に声を上げ、行動のできる社会を守り、さらに前へすすめていくためにも、私たちの努力が必要です。日本国憲法第12条は次のように述べています。

「この憲法が国民に保障する自由及び権利は、国民の不断の努力によつて、これを保持しなければならない。」

今述べてきたような行動は、国民一人ひとりが、主権者＝国の主人公であることを示すものです。自分で考え、意見をもち、行動する——民主主義とは、何よりも、私たち一人ひとりのなかにあるのです。

6章
選挙に行く意味はあるのだろうか

「自分が行っても行かなくても変わらない」

　ごくまれな例を除いて、あなたの一票がある議員の当落を左右することはないでしょう（＊1）。しかし、それは結果であって、大事なのは、あなたが自分の考えと判断で行動したというプロセスです。なぜなら投票することは、主権者としての行動であり、それ自体が民主主義だからです。

　勝ち目がないからといって、辞退するスポーツ選手はいません。誰も見てくれないからといって、筆をとめる画家はいません。売れなかったといって自分の曲を捨てるミュージシャンはいません。子育てや介護は、結果がともなわないとやらない、というものではありません。なぜならそれらは、それ自体に意味のある行為だからです。

　選挙も、一人ひとりの行為として意味があるのです。無論、その結果が自分の願ったものであれば喜びも大きいでしょうが、たとえ、結果が自分の意にそわなくても、その行為はあなたがこの社会で生きて

いることを示すかけがえのないものです。

　まず何よりも、変わろうが、変わるまいが、行くこと自体に意味があるのが投票です。

> *1　数百人が投票に行ったら、結果がことなっていたケースも実際にはあります。2014年の総選挙では、小選挙区・新潟２区の当選者と落選者の差はわずか102票でした。2000票以内の差は10選挙区にのぼります。

　また、投票に行かない＝選挙に影響をあたえない、ということではありません。投票に行かないことで、政治的な役割をはたしているのです。

　2014年12月の総選挙で、自民党と公明党は衆議院の３分の２の議席をとりました。圧勝のようにみえます。しかし、全有権者でみると、自民党は比例代表選挙で16.99％、小選挙区で24.49％の票を得たに過ぎません。こんなに少ない得票でも、多くの議席を独占できた原因のひとつに、小選挙区制という制度があります。自民党は、小選挙区では得票率48％で76％の議席を獲得しました。もうひとつは、自民党がいやだと思いながらも、他党に投票しない、つまり、棄権した人々が多かったからです（小選挙区選は戦後最低だった前回2012年の59.32％を6.66ポイント下回る52.66％。比例選も12年を6.66ポイント下回る52.65％）。

　自民党にしてみれば、「反自民票」が棄権になってくれるのはありがたいことです。このとき自民党は選挙制度とともに、大量の棄権に助けられたと言えます。

選挙に行かないことが、政権党を助けることになることもあるのです。それは棄権した人の意思にも反することでしょう。場合によっては、「棄権は今の政治を助ける一票」になりかねません。いずれにせよ、いまの政治にたいして一番効果的な選択をすることが必要です。

「若い人が選挙に行かないことをどうみますか？」

　総選挙の投票率は、1958年（昭和33年）には76.99％でした。2014年には52.66％にまで下がりました。世代別では20歳代が32.58％、30歳代が42.09％と、若い世代ほど投票率が低くなっています。
　しかし、それは「政治に関心が低いから」ではないのです。
　日米韓英仏の5か国の若者を対象にした調査では、もっとも政治への関心が高いのは日本（58.0％）でした（内閣府「第8回世界青年意識調査」平成21年3月）。この調査は5年ごとにおこなわれていますが、日本の若者は3回連続で、「関心がある」が増えています。一方、20歳代で投票に行かなかった理由の第1位が「仕事が忙しく、時間がなかったから」（38.8％）でした（2012年参議院選挙での主な棄権理由「選挙に関する世論調査」東京都選挙管理委員会）。
　いま多くの若い人たちが、様々な運動に立ち上がっています。選挙は彼ら、彼女らが政治を変える大きなチャンスになろうとしています。投票率が他の世代よりも低いということは、それだけ「のびしろ」があるわけです。投票していない人の比率がもっとも高いのですから、若い人が投票に行けば、「変わる」可能性は大です。しかも、18歳選挙権が実現した（2015年6月）ことで若い有権者が増えました（2016年の参議院選挙では有権者が約240万人増える）。これまでにも増して、

若い人が動けば変化がおこせる時代になっているのです。

「団体は特定の議員や政党を支持すべきですか？」

　選挙結果は、運動にも影響します。私たちが実現をめざす要求に、賛成の議員が多いのか、少ないのかでは大きな差が出ます。例えば、戦争法（安保法制）をなくすということで一致する、政党、団体、個人が力をあわせて、選挙をたたかえば、廃止も可能になります。沖縄でも米軍の新しい基地を名護市の辺野古につくることに反対して、「オール沖縄」と言われる共同ができ、建設反対の知事を誕生させ、2014年12月の総選挙では、4つのすべての小選挙区で自民党候補を落として、反対派の候補が勝利しました。

　ただ、団体や運動が、支持する政党をきめて選挙運動をすることは問題があります。運動団体に参加している人たちは、ある要求を実現するために、政治的な立場などの違いをわきにおいて集まっているからです。

　とはいえ、各党の情報を会員さんなどに知らせることは大事です。「この政党がのびれば、運動にとってプラスになる」「この候補者が当選すれば、要求実現に役立つ」ということは誰もが考えています。ですから、自分たちの運動にとって、各党がどんな公約、政策をかかげているのか、ビラやパンフレットを情報として提供し、多くの人たちに知らせることは重要なことです。そのうえでどの政党を選ぶかは、個々人の自由になります。

Ⅱ
平和は理想ではない

7章
戦争はなくせるのか

　世界では戦争や紛争によって、命をうばわれたり、生活をこわされたりしている人々が多くいます。とくに女性や子どもが、その犠牲となっています。

　ある調査によると、武力紛争の死者の数は、2014年には18万人に達しました。前の年から7万人近くも増えています。3分に1人が、戦争で命を落としているということになります（＊1）。

　イラク戦争（2003年）では、14万～16万人の市民が犠牲になりました。2011年に「終結」が宣言されてからも、1万人以上が命を落としています（＊2）。

　アフガニスタンでも2014年の民間人の死傷者数が1万人をこえました（＊3）。市街地の戦闘にまきこまれた子どもの死傷者数が2013年から4割も増え、2474人となっています。

　市民の目でみれば、イラクやアフガニスタンでも戦争は終わっていないのです。

*1　イギリスの国際戦略研究所（IISS）、2015年5月発表
*2　2013年9841人、2014年1万7088人。英国のNGO「Iraq Body Count」の発表
*3　1万548人。国連アフガニスタン支援団（UNAMA）の発表

「人間には闘争本能があり、戦争はなくならないと思います」

　「闘争本能」や「母性本能」など、「本能」という言葉はいまや、専門家のあいだではほとんど使われないそうです。「本能」といわれるものも、遺伝によるものだったり、まわりの環境や学習などによって身につけたものだったりするものが多いからです。ある行動の理由を「本能だ」と簡単に決めつけてはいけないようです。

　たしかに、けんかや殺人は、昔からあったでしょうが、人間が戦争をはじめたのは、その長い歴史からすると「最近」のことなのです。

　私たちのような人間（現生人類）が登場したのは約40万から25万年前と言われます。

　生産力が低かった原始の時代には、一族総出で狩りをしたり、漁をしたり、食べ物を確保しなければならなかったはずですから、戦争はもちろん、その準備をする余裕などあるはずがありません。

　農業が発達して村のようなまとまりができる時代になると（新石器時代）、食べる以上のものを作れるようになり、それをとっておいて、他の産物と交換するようになります。余った農産物をためておくようになると、それを盗みなどから守るための武装した人々＝兵士のさきがけのようなものが生まれたと考えられます。さらに、武装集団がで

きると、その力で、もっと土地を広げようとしたり、豊かな土地や水源を手に入れようとしたりして、別の村と衝突することもおきてきたでしょう。

　そうした争いを示す一番古い遺跡は、いまから約6000年以上前のものだと言われています。いまのシリアとイラク国境にある遺跡（ハモウカル遺跡）で、城が攻め滅ぼされた跡が発見されています（＊4）。

　その後、多くの市民が巻きこまれるような大規模で、長い間たたかわれる戦争が登場するのは、いまから500〜600年前、15〜16世紀になってからです。武器の面では火薬が戦場で使われるようになった時代です。ヨーロッパの国々で資本主義が生まれはじめたのもこのころでした。

　やがて資本主義の国は、原料や市場を手に入れるために海外に進出し、アジアやアフリカ、中南米で植民地をつくるための侵略戦争をおこないました。さらに、20世紀になると、その植民地の奪いあいから世界的な戦争になりました。第一次世界大戦（1914〜18年）では1900万人が、第二次世界大戦（1939〜45年）では6500万人が犠牲になったと言われます。しかも、第二次大戦の末期には、広島と長崎に原爆が投下されたように、核兵器が登場しました。そのことによって人類は、核戦争によって死滅するという危険に直面するようになったのです。

　このように戦争が生まれ、拡大してきた土台には、経済のあり方の変化があったと言えます。

　＊4　《人類最古の戦争、6000年前に＝独考古学者がシリアで遺跡発見》
　　　「ドイツ考古学者の調査で、これまで確認された中で人類最古とな

る『戦争』が約6000年前にシリアで行われたことを示すとみられる遺跡が発見された」（時事通信、2007年1月4日）

「宗教や民族の対立は原因ではないのですか？」

　最初から対立していた民族など存在しません。宗教も同じです。
　いま大きな問題になっているイスラエルとパレスチナの関係も、昔は同じ場所で、キリスト教徒、ユダヤ教徒、イスラム教徒がとなりあわせで平穏にくらしていました。宗教や民族の違いは原因ではなく、戦争をおこすために利用されるものです。その国や民族の支配層の政治的な思惑、その土台にある経済的な利害が根本的な原因です。それは、戦争が生まれてきた歴史にも示されています。
　先ほどのべたように、人類の歴史が約40万から25万年で、戦争がはじまったのを6000年前とすると、「戦争の時代」は、人類の歴史全体の1.5％～2.4％ほどの短い期間です。人類の歴史を一年にたとえると、それは6日から9日ほどにすぎません。351～359日は戦争のない時代だったのです。ですから、戦争を人間の宿命や「本能」と見ることは正しくありません。
　戦争は「はしか」のようなものです。長い人生（人類の歴史）から見れば、ごく一時期、熱にうかされているようなものです。時間はまだかかるでしょうが、以前はずっと健康（戦争のない時代）だったのですから、「治る」し、「治す」ことができるはずです。

「では戦争は自然となくなりますか？」

　戦争という「病気」を治すには人間自身の努力が必要です。そして、その努力がはじまりつつあるのがいまの時代です。
　第一次世界大戦の後には、国際連盟（1920年）が生まれ、国際紛争を解決する手段としての戦争を放棄し、紛争を平和的に解決することを定めた不戦条約（1929年）もむすばれます。これらは、戦争を違法なものとする世界的な努力として重要な意義をもちました。しかし、大国が「自衛の戦争は認められる」と主張したり、違反した国をおさえる有効な手段もなかったので、第二次世界大戦を防ぐことはできませんでした。
　そのため第二次大戦の後には、より実効力のある国際連合（国連、1945年）をつくりました。その後も、朝鮮戦争、中東戦争、ベトナム戦争、アフガン戦争、イラク戦争など、戦争がくりかえされてきました。しかし、そのたびに戦争に反対する世論や運動がひろがり、国連でも批判の決議があがるなど、戦争をくいとめようとする流れが発展してきています。ベトナム戦争やイラク戦争では、アメリカ国内でも反戦運動がひろがりましたが、自分の国の戦争に反対する世論がこれほどひろがるなどということは、19世紀には考えられないことでした。
　多くの犠牲のうえに、いま人類は、ようやく戦争という「病気」から回復する道をあゆみはじめたと言ってもいいのではないでしょうか。

　ここで、戦争と男女差別との関係について、ふれたいと思います。

戦争とは、「力で相手を負かす」ことがすべてです。兵士もそのことをたたきこまれ、きびしい訓練をうけます。力の弱い、女性や高齢者、子どもが、戦争で犠牲になるのはけっして偶然ではありません。

　日本軍「慰安婦」も、個々の男性の性欲が問題なのではなく、弱い者を蹂躙（じゅうりん）する気持ちを生み出し、維持する軍隊のシステムの問題です。沖縄など米軍基地のあるところで、米兵による性暴力、性犯罪がくりかえされているのも、犯罪者が集められているからではなく、軍隊のなかでそういう人間につくりかえられているからです。アメリカでは軍隊のなかでの性犯罪やセクハラが深刻な問題になっていて、それをなくすためのキャンペーンまでやられています。

　ですから、戦争をなくしていくということと、性差別をなくしていくということは深くむすびついています。「戦争のない世界」は「性差別のない世界」でもあります。ですから、女性のみなさんが平和運動に積極的にとりくむことは、男性とはちがった特別の意味があるのです。

8章
どうやって日本を守るのか

「日本が攻められる可能性はありますか？」

ほとんどないと思います。そもそも、日本が他の国から、先に戦争をしかけられたことは、鎌倉時代の元寇（＊1）以外に見あたりません。

第二次世界大戦がおわってから70年以上たちますが、その間に、戦争に巻きこまれなかったことは、世界でもめずらしいことです。戦後アジアは、戦場での死者が、世界でもっとも多い地域でした（次のページのグラフ）。にもかかわらず、戦場で命を失ったり、他国の人を殺したりする自衛官は一人もいませんでした。

しかし、日本が戦争に巻きこまれる可能性がなかったわけではありません。むしろ大きな危険がありました。

日本には自衛隊があり、巨大なアメリカ軍もいます（130余りの基地と約5万人の兵力）。1950年に朝鮮半島で戦争がおきたときは、日本から出撃したアメリカ軍が戦闘に参加しました。この戦争では、大

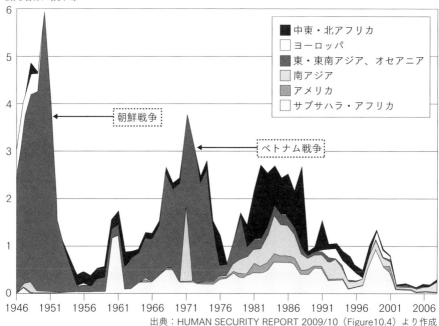

出典：HUMAN SECURITY REPORT 2009/10（Figure10.4）より作成

変多くの人々が犠牲になりました（民間人の犠牲者は100万〜200万人、全体で400万〜500万人）。

1960年代にはアメリカがベトナムにたいして侵略戦争をおこない（民間人450万人以上、全体で813万人が犠牲）、沖縄など日本も米軍の出撃基地になりました。

その後も、アジアでは様々ないざこざがあり、そこに日本が巻きこまれたとしても不思議ではありませんでした。

それを食い止めてきた大きな要因の一つが憲法です。とくに、戦争をしてはいけない、そのための戦力は持たない、国は戦争をする権利をもたない、ということを決めている第９条が高いハードルとなって、

自衛隊が海外で戦闘することができなかったからです。

　例えばベトナム戦争には、アジア・オセアニアから韓国、台湾、オーストラリア、フィリピン、タイ、ニュージーランドなどが参戦しました。韓国はのべ32万人を派兵し、約5000人が犠牲となりました。10万人の兵士が帰国後も、アメリカ軍がまいた化学兵器「枯葉剤」による後遺症に苦しんだと言われています。韓国軍によるベトナムの民間人への虐殺行為もありました（のちに韓国政府が謝罪をしています）。

　イラク戦争では、アジア・オセアニアではオーストラリア、タイ、韓国の兵士が命を落としています。日本は憲法9条の「歯止め」があったので、かろうじて誰も殺さず、自衛隊員の戦死者もでませんでした（2003年から09年までにイラクに派遣された自衛官のうち在職中に29人が、01年から07年のインド洋の給油活動では25人が、自殺しています〈＊2〉）。自衛隊がアジアの他の国と同じように、海外で戦闘していたら、戦争に巻きこまれてもおかしくない状況でした。

＊1　1274年と1281年に、モンゴル帝国によって行われた対日本への攻撃。対馬、壱岐、博多などが戦場となりました。総勢2万7000〜3万9700人の兵士が日本に来襲したとされています。
＊2　防衛省・真部朗人事教育局長の答弁（2015年5月27日）

「日本にいる米軍が『抑止力』になったのではないですか？」

　日米安全保障条約（安保条約）のもとで、日本には米軍基地がおか

れ、日本を守るために米軍がともにたたかう、とされています。しかし実際には、日本の米軍基地は、他国を攻撃するために使われてきました。

　ベトナム戦争で、沖縄（嘉手納基地）から爆撃機が毎日のようにベトナムに出撃して、空爆をおこなっていました。東京（横田基地）からは戦車が輸送機でベトナムに運ばれました。神奈川（横須賀港）、長崎（佐世保港）から、空母を中心とする米第7艦隊が出撃してベトナムを攻撃しました。椎名悦三郎外務大臣（当時）は、国会で「ベトナム戦争がもう少し近いところでおこなわれていたら、……（日本が報復）攻撃を受けることはありうる」と答えました。それほど危険な状態にあったのです。

　アフガニスタン戦争では、戦闘機をのせたアメリカの艦船に、海上自衛隊がインド洋で給油をしました。イラク戦争では、民衆を殺戮する作戦をおこなってきた米兵を自衛隊機が輸送しました。

　日米安保条約によって、日本が、アメリカの戦争の出撃基地にされ、戦争に協力・参加させられてきたのが歴史の事実です。

「多くの人は『抑止力』が必要だと思ってませんか？」

　「抑止力」とは、相手が攻撃してきても、それを上回る反撃が予想される場合には、手を出すことを思いとどまる、という考え方です。しかし、「こちらが軍備をつよめれば、相手は恐れて攻撃してこない」などと考えるのは勝手な思い込みです。それは、「抑止力」の矛先をむけられた国の立場にたって考えてみればわかることです。

　例えば、相手が、同じように「われわれも『抑止力』をたかめよ

う」と考えたらどうなるでしょうか。軍備増強と対立はどんどんエスカレートします。それは結果として、戦争の可能性をたかめることになり、安全よりもリスクが増大してしまいます。実際、北朝鮮は自分たちの核兵器は「抑止力」だと主張しています。

　マスコミや多くの政治家が「抑止力」という言葉を当たり前のように使っているので、それを信じている国民が多いと思われがちです。しかし、実際には「抑止力」で日本を守れと主張している人々は少数です。

　NHKの調査（＊2）では、「日本の平和を守っていくために、今、最も重視すべきことは何だと思いますか」という質問にたいし、「武力に頼らない外交」と答えた人が53.4％、「民間レベルでの経済的・文化的交流」が26.0％で、「武力を背景にした抑止力」と答えた人は1割にも達していません（9.4％）。軍事でいくか、非軍事でいくかという選択肢になると、約8割の人が軍事力によらない方法を選んでいるのです。

　よく街頭で宣伝や署名をやっていると「丸腰で日本を守れるか」と批判しに来る人がいます。そういうことが印象に残りがちですが、実は全体の1割にも満たないことを覚えておきましょう。しかも、そういう方々も、考えを変えていくかもしれません。本当は「戦争になったら困る」と思っているかもしれません。そういう懐深く、広い気持ちで運動をしていくことが大事だと思います。

　　＊2　「平和観についての世論調査」（2014年7月）

【補足】　内閣府「自衛隊・防衛問題に関する世論調査」（2015年1

月)では、「日本の安全を守るためにはどのような方法をとるべきだと思うか」という問いに、「現状どおり日米の安全保障体制と自衛隊で日本の安全を守る」と答えた人が8割をこえました(84.6％)。しかし、この調査は他に「日米安全保障条約をやめて、自衛隊だけで日本の安全を守る」と「日米安全保障条約をやめて、自衛隊も縮小または廃止する」との三択でした。そのなかから「現状どおり」＝「安保＋自衛隊」を選ぶ人が、多数になるのは不思議ではありません。

「万一にそなえるのは政治の責任ではないですか？」

もちろんです。ただ、その前に「日本を守る」ということはどういうことかを考える必要があります。
　一番大事なことは、国民の命や財産を守り、平穏に自由にくらして

いけるようにするということ、それを脅かすような原因を取り除くということです（いまの状況を見ると、むしろ国内の原因の方が大きい気がしますが）。

　昔は、中国の万里の長城のように外からの侵入者をふせいだり、防人（さきもり）を海岸において、不審な船が入ってこないようにしたりすることが、「国を守る」うえで大事でした。いわば「ハリネズミ方式」です。

　しかし、今日の私たちをとりまく環境は大きく変わりました。

　まず、私たちのくらしや日本の経済は、外国とのつきあいをシャットアウトしてはなりたちません。アジアや世界の国々との貿易なしには生きていけないのです。日本の輸入の相手国１位は中国で、全体の22.3％を占めます。輸出の相手国１位はアメリカで18.7％ですが、２位の中国も18.3％です（＊3）。貿易の５割〜６割がアジアの国々です。

　実際、毎日使っている多くの電気製品の裏には「メイド・イン・チャイナ」と書かれています。服のタグには「メイド・イン・マレーシア」「メイド・イン・ベトナム」とあります。

　食べ物も外国にたよっています。私たちの食料の６割以上は輸入したものです（食料自給率39％、2014年度）。小麦のうち国内で作られているものは全体の12％（2012年度）ですが、食パンに使われている小麦の99％は輸入品です。卵はほとんどが国産ですが、鶏のエサはほとんどが輸入にたよっています。餌まで含めた純粋の国産卵は８％にすぎません。同じように純国産牛乳は43％、ウインナーはなんと７％です（＊4）。

　また日本は、世界で４番目にエネルギーを消費する量が多い国ですが、その自給率は、わずか４％です。しかも、日本が輸入する原油の

8割は東南アジア、南シナ海を通るタンカーで運ばれてきます。アジアには、香港、シンガポール、バンコク（タイ）、仁川（韓国）などの中継点となるような国際的な空港（ハブ空港）もあり、24時間人と物が行きかっています。

ですから、日本やその周辺でひとたび武力紛争がおきれば、輸送や交通に大きな障害が出て、私たちのくらしと日本の経済は大変なことになってしまいます。

ハリネズミのように身を固めても、世界の国々とやりとりができなければ生きていくことはできません。それは相手の国も同じです。いまは、どの国も戦争をすれば、大きなダメージを受けます。21世紀の「戦争」に勝者はないのです。現実の世界は、相手を打ち負かせば「勝ち」という昔の戦争や、ゲームではないのです。

ですから、日本の政治が「万一」にそなえて、しなければならないことは、戦闘で勝つ力ではなく、戦争をおこさない、そのリスクをできる限り減らす知恵と努力なのです。そうしてこそ、国民を守る国の責任が果たせるのです。

＊3　2014年財務省貿易統計
＊4　全国農業協同組合連合会「もっと知りたい日本の農業」2015年4月発行

「いまや日本は一国では国を守れないと言われます」

例えば、中国のことを考えると、アメリカ軍の手助けが必要だとい

うわけですね。

　しかし、アメリカは中国とは戦争はしたくありません。アメリカも中国も経済の面では、お互いをたよりにしないとやっていけないからです。中国の製品を一番たくさん買っている（輸入）のはアメリカです。アメリカの借金をもっとも多くうけおっている（国債を買っている）国の一つが中国です（日本が1番です。2014年）。小さな無人島（尖閣諸島）をめぐるいざこざに巻きこまれて、その関係を壊すようなリスクをおかすことはない——こう考えるのが普通です。

　北朝鮮の問題もそうです。話し合いで北朝鮮の核問題を解決するというのが、アメリカ政府の方針です。もちろん、韓国と合同軍事演習をやったり、人権問題で非難したりして、北朝鮮に「圧力」をかけますが、軍事衝突は避けたいというのが本音です。アメリカは朝鮮戦争で14万人もの若者の命を失っています。今、朝鮮半島で戦闘になれば、それどころの被害ではないでしょう。核兵器が使われる可能性もあります。日本や韓国も大きな被害をこうむります。そんな事態はアメリカにとっても大災難です。

　そもそも日本にいる米軍は、防衛を目的にしているわけではありません。例えば沖縄にいる米軍の最大の部隊である海兵隊を見てみましょう（＊5）。彼らは、他国に最初に攻め入るのが仕事で、日本を守るのが目的でいるわけではありません。フィリピンやオーストラリアなどしょっちゅう海外で演習をしているので、日本に何かおきてもすぐに駆けつけられません。日本にいないのなら、そもそも「抑止力」ですらありません。

　もちろんアメリカは、「いざというときは日本を守りましょう」と言うに決まっています。日本はそれを信じて、アメリカの要求をのん

で、従ってきているのです。しかし、現実をみれば、「日本のためにたたかう」と信じこまないことが正解のようです。

 ＊5 1万5365人で在沖米軍の57.2％を占めます（沖縄防衛局、2011年6月時点）。なお本土も含めた在日米軍は5万0341人（陸軍2316人、海軍1万9688人、海兵隊1万5983人、空軍1万2354人）。『防衛ハンドブック（平成26年度版）』（朝雲新聞社刊）より

「では、どうやって日本を守るのですか？」

　東南アジアの国々の活動にヒントがあります。
　東南アジアには、中国と領土や領海の問題で対立している国々があります。また東南アジアの国々同士でも、同じような問題があります。これまでも、領海を犯したとして漁船の船長が射殺されたり、民間の船が攻撃をうけて火事になったり、さらには海軍同士がにらみあうといった事件もおきています。ひとつ間違えば戦闘や戦争になりかねない問題があります。
　しかし、東南アジアの国々は、「国を守るために軍事力を強めるのが一番だ」とか「軍事同盟で中国に対抗しよう」ということを最優先に考えている国はありません。もちろん、それぞれの国は軍隊をもっていますし、アメリカと軍事で協力している国もあります。しかし、対立や小競り合いを戦争にエスカレートさせないことを基本にしています。
　その方法は「対話と交渉」です。

中国と領土問題をかかえているフィリピンの駐日大使の方は、ある雑誌のインタビューで、「台頭する中国とどうつきあうべきか」と問われて次のように答えています（＊6）。

　「たとえどんなに中国に席巻されようとも、我々は平和的手段で紛争を解決していきたい」「中国を効果的に取り込むことができれば、経済的に共存共栄関係が生まれ、軍事的にも中国が野心のままに勝手なことができなくなります」「中国と武力衝突を起こすべきではない。それよりも愛情と友情、そして正義でもって闘い、勝ち抜いていく」

　フィリピンもアメリカ軍の駐留を認めたり、軍事演習をしたりしています。しかし、武力衝突をおこさないことが優先なのです。
　ASEAN（アセアン、東南アジア諸国連合）は、対立を紛争にさせないために、問題があっても武力で解決しようとせず、話し合うというルール（南シナ海行動規範）をつくろうとしています。実際、話し合いの場をたくさんつくっています。ASEANでは1年間で1000回もの会議などがおこなわれているそうです。
　「対話をしても、いっこうに問題が解決してない」と言う人もいます。たしかに、領土や領海の問題は複雑で、時間も手間もかかる問題です。しかし、話し合いがおこなわれていれば、「いきなり殴り合う」＝武力紛争に発展するリスクはおさえることができます。つまり「対話」が暴発を食い止める「安全装置」になっているのです。
　それと比べると、軍事力で対応することや「抑止」を強化することばかりを言う、日本政府のやり方は危険です。「抑止力」とは「攻め

てこないように力で脅す」という考えですが、それは、現実を見ない空想だと言わざるをえません。北朝鮮は「抑止力をつよめる」といって核兵器をもちましたが、今度はそれを口実に日本は「抑止力」を強化すると言いました。脅されて怖気づいて、平和が訪れるという考えが誤っていることは、現実を見ればはっきりします。

　日本国憲法には、「平和を愛する諸国民の公正と信義に信頼して、われらの安全と生存を保持しようと決意した」（前文）とあります。これは「戦争はいやだ、平和の方がいい」という共通の願いが世界にあることを信じて、そこに訴えて国民の安全を守っていくのだ、ということです。世論と正義の力、外交の力で日本のまわりを安全なものにするということです。「抑止力」で国を守るとは憲法に書かれていません。

　憲法第９条を「空想的だ」という人もいます。しかし、第二次世界大戦後、戦争をやって、何かが解決した例があるでしょうか。東南アジアの例は「国際紛争を解決する手段としては、永久にこれを放棄する」（第９条）というやり方が、空想的どころか、現実が求めるものになっていることを示しているのです。

　＊６　「東洋経済オンライン」（2014年７月19日）

9章
日本の「強み」は何か

「戦争になる危険はありますか？」

　戦争に巻きこまれる危険はないとは言えません。とくにアメリカの戦争に協力させられていく危険があります。しかし、いまは国民の多数が反対していれば、戦争をはじめることはできません。

　王様や殿様が家来をつれて「いくさ」にでかけるような時代と違って、現代は、国民が支持しない戦争をすることはできないのです。今日の戦争は、軍隊だけが戦場で戦闘すればよいものではありません。それを支える国の態勢や国民の協力が必要です。さらに、海外での殺人や破壊を認め、犠牲となった兵士を「誇らしく」迎える国民全体の態勢がなければ、戦争はたたかえません。

　戦争をするために必要なものを整理してみましょう。

①戦争をおこなうための法律（国として戦争を認め、それをおこなう仕組みがあること）

②戦闘をするための道具（破壊と殺戮のための兵器を持っていること）
③戦闘をおこなうための人間（戦争をするための専門の集団＝軍隊があること）
④戦争を支持する国民

　日本の場合はどうでしょうか。
　①については憲法第9条があります。これまでも自民党政権はこれを自分勝手に解釈したり、実際には憲法に反するような法律をつくったり、さらには、9条そのものを変えてしまうこともねらってきたので、「9条がある」と安心しているわけにはいきません。しかし、9条が存在し、これを守り、生かそうとする世論があることが、大きなハードルとなっていることは事実です。
　②についていうと、自衛隊という軍事組織があります。しかも、軍事費は世界第9位（2014年）で、かなりの大きさです。
　ただ、憲法第9条では、軍隊をもってはいけないことになっているので、自衛隊は外からの侵略にたいする「自衛」のためのものという「言い訳」がされてきました。ですから海外に派遣されても、「武力行使はしない」としてきたのです。そして、他国を攻めるための武器（空母や長距離爆撃機、弾道ミサイル、さらには核兵器も）ももってはいけないとされてきました。戦争法（安保法制）のもとでも、これを許さないことが大事です。
　③も戦争に不可欠です。恨みもない、見知らぬ人を、戦場で殺すということは、心理的にとても難しいことです。命令で、それをできるようになるには特別な訓練が必要です。アメリカの海兵隊は、「殴り込み部隊」といわれますが、彼らはためらいなく敵を殺せるように洗

脳に近い訓練をうけます。自衛隊員は、これまで「侵略から日本を守るため」とされてきたので、人を殺す訓練はあまりやってきませんでした。米軍との協力がすすむなかで、だんだん変わってきていますが、それでもハードルは低くありません。イラクに派兵された自衛隊員に自殺が多く見られるのも、戦場でのプレッシャーの大きさを示しています。

　仮に①〜③がそろったとしても、④がなければ、戦争はできません。人の生死がかかった問題ですから、国民の意思に反して無理に押しとおそうとすれば、そのような政権は倒されてしまう可能性があります。しかも、現代の戦争というのは、兵士が戦場で闘い、国民はそれをテレビで見ていればいいというものではありません。いざ戦争ということになれば、国民も自治体もそれに動員されます。自衛隊に出動命令が出されるような事態になれば、法律（自衛隊法など）によって土地や建物などが「収容」されたり、医療や運輸、土木建築に「従事」することが求められたりします。多くの国民がそれらを拒めば、戦争計画はなりたたなくなります。

　そもそも日本が本格的に戦争をできるようになるためには、憲法第9条を改定する必要があります。そのためには国民投票が必要です。そこで多数の支持を得られなければ憲法改正はできません。たとえ国会で9条の改憲をめざす勢力が多数の議席を獲得しても、国民多数の支持がなければ、憲法改正はできません。国民投票で負ければ、その政権はノーをつきつけられたのと同じですから、もたないでしょうし、憲法改正を提起することもしばらくできなくなってしまうでしょう。

　あくまで、カギをにぎっているのは国民の多数の意思なのです。

「国民が戦争賛成になることはないですか?」

その可能性は「とても低い」と言っていいと思います。日本人ほど戦争が嫌いな国民は、世界に例がないからです。

すこし前のことですが、「やわらか戦車」というアニメがありました(ラレコ作)。メインキャラクターは、ぷよぷよした饅頭(まんじゅう)のような形をした「戦車」風の生き物です。戦車なのに武器をもっておらず戦いません。「戦車」といっても「戦わない車」なのです。しかもその弱さは際立っており、蚊にさされたら退却し、子猫にさらわれることもある。しかも、指先でつつかれたら、「そこから腐る」という「他のツイズイを許さぬ弱さ」が特徴です。その主題歌では、「生きのびたい」とか「胸にきざむは退却ダマシイ」などと歌われています。

むかしの日本の軍隊は「退却」「撤退」という敗北を意味する言葉を禁じて、「転進」(別の方向に進む)と言い換えていました。「やわらか戦車」の「退却ダマシイ」はこれを真っ向から否定するものです。作者は「反戦が動機ではない」と言っています。なにかかわいいもの、おもしろいものを創りたいと思っての結果でした。しかし、わざわざ反戦を意識しないでも、こういうものが生まれてくるところが日本の文化の大きな特徴だと思います。

もちろんアニメのなかには戦闘シーンや地球や国のために「戦う」ヒーローやヒロインを描いているものもたくさんあります(「宇宙戦艦ヤマト」とか)。しかし、歌で異星人との戦闘の決着をつけるとか(「マクロスF」)、筋肉隆々のスーパーマンではなく、かわいい女の子たちが悪と戦うとか、独特なアニメ作品があります。つまり「戦闘し

て勝つ快感」ではなく、「戦わない心地よさ」「戦うのがいや」を文化の一部としているのです。戦闘型のヒーローアニメは日本も含めて世界中にありますが、非戦闘型のヒーローやヒロインは他の欧米諸国にはないユニークでオリジナルなものだと言えるでしょう（最近は海外でも日本の作品に触発された作品も生まれています）。

「いまひとつ頼りない気がしますが」

　これはアニメや文化のなかの話だけではありません。それをとりかこむ日本社会の雰囲気や国民の考え方といった大きな問題でもあるのです。
　世界60か国を対象にした「世界価値観調査」というものがあります。5年に一度おこなわれます。その質問のなかに、「戦争になったら、あなたは国のために戦いますか」という項目があります。それに対する答えをみると、「はい」と答えた人は中国で74.2％、徴兵制のある韓国で63.0％、イラクやアフガンで痛い目にあったアメリカでも57.7％と6割近くあります。
　ところが、日本で「はい」と答えた人は15.2％。世界断トツの低さです。別の見方をすると85％の人は「国のため」であっても「戦う」ことはイヤか、少なくともためらいを感じているのです。実はこの質問にたいする日本人の回答は毎回ほとんど同じなのです。「はい」は2000年が15.6％、2005年が15.1％、2010年が15.2％です。
　日本人の「戦争は嫌だ」という気持ちは、世界の他の国とくらべてもとびぬけて強いのです。
　なぜこのような結果になっているのでしょうか。防衛大学の名誉教

授である佐瀬昌盛さんという方は、「日本のこの惨状は１日にして生じたのではなく、敗戦以来の戦後教育の結果だ」とのべています（「産経新聞」2012年３月22日）。防衛大学の先生にしてみると圧倒的多数の人が「国のために戦わない」と言っているのですから、これを「惨状」と言いたくなるのは当然でしょう。しかし、ここは「日本のこの反戦世論は１日にして生じたのではなく、戦後の教育と憲法を守り生かす運動の成果だ」と言うべきでしょう。

つまり、長年にわたって憲法９条が、日本の社会と国民に浸透しているということです。憲法を読んだことがない人でも、なんとなく「戦争はしてはいけないことになっている」「自衛隊は外国にいって戦争するようなことはしてはいけない」という意識があるわけです。

若い人が「戦争になったら逃げます」と答えることがあります。「逃げられるわけがない」としかめっ面をする人もいるかもしれませんが、これは素晴らしい答えです。戦争が嫌なんです。逃げたいくらいなんです。「胸にきざむは退却ダマシイ」――これほど頼もしい、戦争に立ち向かう力はありません。

これを私は「平和の基礎体力」と呼んでいます。

危なそうなニュースがとびこんでくると、「やっぱり軍事力も必要だ」と思ってしまう人もいるでしょう。しかし、知らず知らずのうちに体に染みついたものほど強いものはありません。たとえ風邪をひいて熱をだしても、基礎的な体力があれば、適切な「治療」（対話や運動など）によって、ふたたび健康になるものです。

2012年に尖閣諸島の問題で日中の間が緊張したとき、ある世論調査では憲法９条を変えた方が良い、と答えた人が変えない方が良い、を上回りました（「毎日新聞」2012年９月15日調査）。しかし、その後、

世論は再び、9条を守るが、改正する、を上回るようになっています。自分のなかにある回復力と、「治療」がかみあって、病から治ったのです。

　ときに「熱」にうかされても、やがてはひいていく。日本人の多くにはこの「平和の基礎体力」があるのですから、それを信頼して運動をしてくことが大事です。

10章
自衛隊の好感度が高いのはなぜか

「9条を守れと言う人は、自衛隊には反対ですか？」

そうとは言えません。

2015年の政府の調査によると9割以上（92.2％＝「良い印象を持っている」41.4％＋「どちらかといえば良い印象を持っている」50.8％）の人が、自衛隊に好感をもっています。1969年の調査開始以来最高だそうです（＊1）。

この結果に顔をしかめる人もいるかもしれません。しかし、大事なポイントは、多くの人たちがどこに「好感」をもっているかということです。この世論調査では、「自衛隊が存在する目的は何だと思うか」という質問にたいして一番多い回答が「災害派遣（災害の時の救援活動や緊急の患者輸送など）」でした（81.9％）。次いで「国の安全の確保」（74.3％）、「国内の治安維持」（52.8％）、「国際平和協力活動への取組」（42.1％）の順となっています。日米安保条約のもとでの共同演習などを含む「防衛協力・交流の推進」をあげた人はわずか

22.4％でした。

　これは大変興味深い結果です。なぜなら自衛隊は、軍事組織なのに、国民が選んだその「目的」の第1位は、災害のときに国民を助けることなのです。東日本大震災をはじめ大きな災害があったときに、現場で活動する自衛隊員の姿をテレビや新聞などで見て、好感をもつのは、当然とも言えます。もちろん「国の安全の確保」も上位にありますが、軍事活動に「好感」をいだいているわけではありません。実際、「国際平和協力活動」という海外での活動や「防衛協力・交流の推進」というアメリカとの協力を「目的」だと考えている人は少数です。

　憲法9条にてらせば、自衛隊は憲法違反の存在です。その一方で、世論調査（「朝日新聞」2015年5月2日）では憲法9条は「変えない方がよい」が63％（女性は69％）で、「変える方がよい」の29％を大きく上回っています。

　つまり、自衛隊を圧倒的多数の国民が好ましい存在だと思っているのは、それが軍隊だからではなく、憲法9条の「制約」のもとで国民のための活動をしてくれている組織だと見ているからです（実際には、違うわけですが）。

　「災害派遣」が自衛隊の目的だと考えている人にとって、自衛隊がアメリカとの軍事協力をすすめるために、その役割を拡大し、海外で戦闘し、殺したり、殺されたりすることは好ましいことではないのです。むしろ、そうしたことに反対するでしょう。実際、自衛隊に賛成の人たちも、戦争法案に反対して立ち上がりました。

＊1　内閣府「自衛隊・防衛問題に関する世論調査」2015年1月

「自衛隊はなくさなくてもいいということですか？」

　自衛隊は憲法９条にてらせば、なくすのが道理です。ただ、先ほども見たように、いま国民の多数は「憲法違反だから解消しろ」という立場ではありません。当面は、「なくす、なくさない」といった議論よりも、集団的自衛権を行使したり、海外で戦闘できるようにしたりするなど、これまで以上に、憲法９条に違反するようなことをさせないことが大事です。これは自衛隊に「好感」を持っている人とも一緒にやれるし、やらなければならないことです。

　今後のことで言えば、たとえ国民の多くが、日米安保条約を廃棄して、日本が日米軍事同盟からぬけだすことに賛成するようになっても、すぐに「自衛隊はいらない」とはならないでしょう。その段階では、自衛隊はひきつづき存在しますが、米軍に従うような関係をあらためる、公務員として政治的な中立を守る、軍事費の削減をすすめる、といったことをしっかりやる必要があります。

　自衛隊をなくしていくのは、これらの後ということになると思います。日本が東南アジアのように、外交で平和と安全を守る努力をする。また、そのことで多くの人たちが、軍事力は必要ないと思えるような状況がアジアにできあがる。そんな体験をへながら、憲法９条にもとづいて自衛隊をなくしていくという見通しが出てくるのだと思います。

11章
なぜ給食はパンだったのか：日米関係を考える

　学校給食には良い思い出も、嫌な思い出もあるでしょう。いまの給食のメニューを見るとファミレスなみにバラエティに富んでいますが、私の小中学生時代（1960年代〜70年代）には、主食はパン、食パンが2枚というのがきまりでした。

　「なぜ、いきなり給食の話なんですか？」

　これは日本の平和、政治と社会のあり方にかかわる重大問題なんです。
　かつては法律で「給食内容は、パン（これに準ずる小麦粉食品等を含む）、牛乳及びおかずとする」（学校給食法1954年）と、パンが必須だったのです（2008年に改正）。お米が日本人の食事のメインだった時代に、学校給食がパンだったのにはわけがあります。
　終戦直後の1947年から、学校給食が本格的に再開されました。しかし、当時は食糧難だったので、アメリカから無償で援助された小麦

でつくったパンが主食でした。アメリカが給食用の小麦粉を日本に与える一方で、日本はパン給食をつづけるという取り決めがされたのです。

　アメリカでは1950年代、大量の農産物が余っていました。小麦も例外ではありませんでした。そこでアメリカはこの余った小麦を、日本の子どもたちに食べさせる作戦をはじめたのです。パン給食が、日本人の食生活を変化させ、ひろくパンを食べる習慣が定着したとも言われています。アメリカにしてみれば、余った小麦をさばけただけでなく、その後も小麦をたくさん輸入してくれるお得意様に日本を仕立てることができたわけです。

　いまや日本の小麦の自給率はわずか14％にまで落ちこむ一方、アメリカは最大の輸入先となり、全体の50％をこえています（2014年）。

　これは、日本の運命を左右する大問題と関係がありました。

　日本は1951年にサンフランシスコで連合諸国と、第二次世界大戦

の戦争状態を終わらせる講和条約をむすび、国際社会への復帰をはたします（＊1）。その同じ日に、アメリカは日本と安全保障条約（旧安保条約、「日本国とアメリカ合衆国との間の安全保障条約」）をむすびました。それは、連合国の占領が終わっても、日本にある米軍の基地を使えるようにするなど、日本を支配しつづけるに等しいものでした。

　この条約にもとづいて1954年に日米相互防衛援助協定（MSA協定）がむすばれます。これによって、日本は、アメリカの経済援助を受けることになり、小麦を無償で与えられることになったのです。その一方で、憲法9条があるにもかかわらず、「防衛力」を増強することを義務付けられました。自衛隊がつくられたのもこの年です。給食のパンは、日本がアメリカに軍事で協力していく約束とひきかえに与えられたものの一つだったのです。

　当時、日本には約700ともいわれる米軍の基地や施設がありました。各地では、土地を返してほしい、危険な基地をなくしてほしい、と住民たちが激しい運動をくりひろげました。それによって閉鎖されたり、縮小されたりする基地も出てきました。ところが、沖縄はアメリカの施政下にあったので、基地がなくなるどころか、新たな基地建設すらすすめられました。岐阜県と山梨県に駐留していた米海兵隊が沖縄に移るなど、本土から沖縄に移動してきたものもありました。

　軍事の面でも、経済の面でも、アメリカに従う仕組みが、このときからつくられてきたのです。

　　＊1　ソビエト連邦、中国などは会議への参加や調印・批准を行わず、個別の条約や合意によって戦争状態が終結しました。日本に併合されていた韓国は、日本と交戦していなかったという理由で招請されま

せんでした。

「いまは占領されているという感覚ではありませんが」

1960年に旧安保条約が改定されて、いまの日米安保条約(「日本国とアメリカ合衆国との間の相互協力及び安全保障条約」)がむすばれました。表向きは、占領をつづけるに等しい旧安保条約を、より対等なものにするのだ、と言われました。

しかし、実際には、日本が米軍に基地を提供する(6条)だけでなく、経済協力をすすめること(2条)、軍備増強をすること(3条)、そして日本「防衛」のために共同で軍事作戦を行う(5条)ことまでも定めました。この新しい条約は今日にいたるまで、日本が軍事や経済、外交まで、アメリカに従う土台となっています。

いまだに全国には、130余りの米軍の基地と施設があります。沖縄にはその7割以上が集中しています。東京をはじめ首都圏にも巨大な米軍基地が住宅地のなかにあります。周辺に住んでいる人々は騒音や事故、米兵の犯罪などの被害を受けています。

問題はそれだけではありません。これらの米軍には、日本の法律などがおよばない特権が与えられているのです。飛行訓練も夜にやったり、低空でやったりしても、日本の法律では取り締まれません。基地のなかで有害物質を流しても調査すらできないのです。沖縄国際大学での米軍ヘリの墜落(2004年)、神奈川県相模原市の米軍基地の火災(2015年)などでは、日本の消防が消火活動もできませんでした。さらに、米兵が犯罪をおかしても、「公務中」とされれば、裁判権はア

メリカにあります。犯人が基地のなかに逃げこんでしまえば、日本の警察は追いかけて、なかに入れません（これらは、日米地位協定などで取り決められています）。まさに植民地のような"治外法権"の状態です。首都も含めて米軍の基地だらけというのは、世界では見あたりません。

　そのうえ、日本の場合は、米軍のために様々な予算を支出しています。米軍の水光熱費、基地の中のレクリエーション施設にまで、日本がお金を出しています。これは私たち国民の税金です。米軍基地のある国は他にもありますが、土地の使用料や基地の見返りとして援助金を要求している国もあります。日本のように、自分からお金を出して、米軍にいてもらっている国はありません。

　しかも、日本の軍事的な役割は、アメリカの要求を受けいれて、さらにひろがっています。

　もともと自衛隊と米軍が共同で行動するのは、「日本の防衛のため」でした。しかし、ソ連が崩壊すると、朝鮮半島など「周辺」にまで範囲をひろげました（「日米防衛協力のための指針」1997年）。さらには、海外で活動する米軍を支援したり、集団的自衛権を行使して、米軍を守ったりできるようにグレードアップしました（「日米防衛協力のための指針」2015年）。これが戦争法の土台になっています。このように日米軍事同盟は世界的な規模に拡大されてきています。

　経済の分野でも、アメリカが投資しやすいように日本の経済ルールを変えてきました。昔は、アヒルの出てくるアメリカの保険会社のCMやアメリカの銀行のATMはありませんでした。こうした金融業は日本経済の大事な部分でもあるので、外国企業が自由に参加できないようにしてきたからです。ところが1996年から、その規制がどん

どんはずされていきました。郵政民営化や非正規雇用の拡大も、アメリカが要求してきたものでした（＊2）。

　農産物でも、小麦だけではありません。日本はアメリカの意にそって、大豆、飼料作物などを輸入にきりかえていきました（＊3）。その結果、いまや大豆の輸入先のトップはアメリカで62.9％。とうもろこしもアメリカが1位で、全体の84.3％です。そして、日本の穀物全体（飼料用の穀物を含む）の自給率は1965年の62％から2013年には28％にまで落ち込んでいます。

　たしかにアメリカは日本を目に見えるかたちで「占領」しているわけではありません。しかし、日本政府は経済でも、外交でも、そして政治や軍事の面でも、アメリカの意向にそって動いていると言っても過言ではありません。「アメリカいいなり政治」——これこそが、日本の平和、国民のくらしと安全をおびやかす「諸悪の根源」のひとつだと言えるでしょう。

　　　＊2　「日米規制改革および競争政策イニシアティブに基づく要望書」に記されています。日本の規制や制度の問題点について米国政府の要求をまとめた文書で、1994年から2008年までつづきました。
　　　＊3　1961年の「農業基本法」「自由化促進計画」など。

Ⅲ
歴史をすすめる力

12章
誰が政治を動かしているのか

「政治は右翼と左翼の対立ですか？」

　右翼と左翼という言葉は、フランス革命後の国会（国民議会）で、改革をめざす議員が議長席から見て左側（左翼）に座り、それに反対する保守的な議員が右側（右翼）に座ったことがはじまりだと言われています。ちなみに日本の場合は、衆議院は、議長から見て右から数の多い順で、参議院はその逆となっており、政治的な「左右」は関係なさそうです。

　国会のなかには、国会議事堂の前に集まった人々を「テロ」呼ばわりする政治家がいる一方で、自分たちと同じ声を上げ、いっしょにたたかう政党や議員もいます。保守的、革新的、「右」だ、「左」だと言われるように国会議員や政党は、それぞれカラーがあります。そのカラーは、その政党が誰のために活動しているのか、誰がその政党を支えているのかによって決まってきます。つまり、同じ目標をもった人々が政党をつくり、資金をあつめ、活動をおこない、国会に議員を

送りだしているのです。ではいったいどんなグループが、それぞれの政党のバックになっているのでしょう。

　政党が資金をどこから得ているのかは、その一つの目安になります。

政党名	衆議院	参議院
自由民主党	289	113
民主党	72	58
公明党	35	20
維新の党	40	11
日本共産党	21	11
次世代の党	2	5
日本を元気にする会	0	7
社会民主党	2	3
生活の党と山本太郎となかまたち	2	3
新党改革	0	2
無所属クラブ	0	4
無所属	11	5
欠員	1	0
合計	475	242

国会の各政党・会派の議席数
（2015年8月20日時点）

1	トヨタ自動車	6440
2	キヤノン	4000
3	住友化学	3600
4	新日鉄住金	3500
5	三菱重工業	3000
6	日産自動車	2900
7	東芝	2850
7	日立製作所	2850
9	野村ホールディングス	2800
10	ホンダ	2500
10	大和証券グループ本社	2500

（万円）

自民党に献金をしている企業は左のとおりです（自民党の政治資金団体「国民政治協会」の2013年分政治資金収支報告書より）。

　上位11社だけで、3億6940万円です。これ以外にも業界団体からの献金をうけています（日本自動車工業会、日本電機工業会、日本鉄鋼連盟、石油連盟、日本医師連盟、日本歯科医師連盟、不動産協会、全

国信用金庫協会など）。ただ、自民党の財政の６割以上（64.6％、2013年）は政党助成金です。これは、国民から集めた税金を、政党に分け与えるものです。支持していない政党に強制的に「献金」させられているようなものなので、民主主義に反する憲法違反の制度です。

このように自民党は大企業・財界グループを代弁する政党だと言えます。安倍政権も「世界で一番企業が活躍しやすい国」をスローガンにしてきました。関西電力・中国電力・四国電力・北陸電力の関連会社・子会社が、福島第一原発事故後の３年間で、合計3228万円もの献金をおこなっています。このことと自民党が原発の再稼働に熱心なのとは無関係ではないようです。

民主党は、その資金の８割以上（82.5％、2013年）を政党助成金にたよっています。議員のなかには自民党や旧社会党の出身者もいるなど様々です。自民党よりは額は少ないものの財界（日本経済団体連合会「経団連」）からの献金も受け取ったことがあります。パーティーを開いて資金集めをするときに労働組合に100万円単位で「券」を購入してもらうようなこともありました。大企業・財界グループに対抗するということでは弱さがあり、民主党が政権をとったときも結果として、企業団体献金の禁止にふみこめませんでした。政党助成金もそのままでした。

公明党の支持母体が創価学会という宗教団体であることは、よく知られています。ただ、いまや自民党と組まないと選挙をたたかえないようになってしまっています。そのため、大企業・財界グループの自民党政治に「ブレーキをかける」と言いながら、実際にはアクセルを踏んでいるような状態です。

日本維新の会は、個人献金の多くが数百万円単位の「会社役員」に

よるものとなっています（年度によっては企業団体献金があります）。関西の財界とのむすびつきが強いと言われています（政党助成金72.1％、2013年。なお、橋下徹共同代表らは分裂して、2015年10月に新党を結成することを表明）。

　日本共産党は、政党助成金を受け取る要件をもちながら、受け取っていない唯一の党です。資金のほとんどは個人献金（カンパ）と事業収入（機関紙の購読料など）からなっています。「日本の労働者階級の党であると同時に、日本国民の党」（同党規約）とされています。

　社会民主党は「経済・社会の中心を担う働く人々や生活者の立場」に立つとされていますが、政党助成金が財政の4割（41.5％、2013年）になっています。

「国民のなかに様々なグループがあるということですか？」

　そのとおりです。そして、いま見てきたように、それぞれの政党の背景にある国民のグループが、日本の政治と社会を動かしていると言えます。

　このグループのなかでもっとも多いのが、働いて、賃金をもらって生活する人々のグループです。日本の人口の約8割がこうした人々です。それ以外にも、農業をする人や中小企業を経営する人たちもいます。働き手を雇う会社の役員などの事業主にあたる人々は、総人口の数パーセントです。

　自民党などが、その利益を代弁する大企業・財界のグループは、人数でいえばごく一握りの人々です。しかし、そのグループに大きな資金や財産が集中し、経済の重要な部分をにぎっているので、その影響

力は大きなものがあります。大企業は日本経済団体連合会（「経団連」）という組織をつくっており、その会長は、「財界総理」とも呼ばれています。

　しかし、国民の圧倒的多数は、働く人々なので、本来なら、このグループが日本の政治の中心にすわるべきです。ところが、今のところ国会で多数をにぎり、政権をつくっているのは、大企業・財界のグループを代弁する政党です。ですから、多くの場合、国民のくらしよりも、企業のもうけを優先する政策がおこなわれ、これに国民が反対する運動がおきます。国会のなかでも、国民の立場に立った政党が政権党の政策を批判し、政策を提案してたたかっています。

　つまり、大きく見れば、大企業・財界グループと働く者グループの力関係によって、今日の政治が動いていると言ってもいいでしょう。

　このグループは、「私はこっち」「あなたはあっち」というように、自分で選べるものではありません。その人が社会のなかで、どういう役割を果たしているかで決まってくるものです。

　どんなに働く人のことを考える社長であっても、大きな資金や会社をもって、賃金を払って人々を働かせる立場にある人は、大企業・財界グループの一員です（その下請けをさせられている中小企業の社長さんは立場がことなることもあります）。一方、「自分は労働者というよりサラリーマン」「やがては起業家になる」と思っている人でも、いま賃金で生活をしている人なら、働く者グループの一員です。

　さて、このグループは、「階級」と呼ばれています。上流階級、中産階級などといった、資産の大きさや身分の違いではありません。いまのべたような経済のなかでの地位、役割の違いです。会社を経営し、商品を生産するのに必要なもの（資本）をもって、賃金で働く人を雇

う立場にある大企業・財界グループを資本家階級と呼び、働く者グループを労働者階級と言います。

　これらの階級は、応援する政党や団体というかたちで、目に見えるようになっています。そうした目で見ると、社会と政治をおおもとで動かしている主役は、これらの「階級」だと言えます。

　王様や英雄、天才などが社会を動かし、歴史をすすめてきたのではありません。この階級の力関係の変化が、次の時代をもたらしてきたのです。このことについては、機会をあらためて（「13章　『永遠の愛』はあるのだろうか」）、よりくわしくみることにしましょう。

13章
「永遠の愛」はあるのだろうか

「時代が変わっても、愛は変わらないと思います」

　残念ながら、「永遠の愛」などというものはないようです。
　ドイツの作曲家ブラームスがつくった《永遠の愛について》という歌があります。「鉄は硬いが、われわれの愛はもっと硬い」と歌われています。せいぜい鉄よりも長持ちするといった程度のようです。
　二人が情熱的に愛し合っている瞬間は、愛の「永遠」を疑いません。キリスト教式の結婚式で「死が二人を分かつまで」の愛を誓いますか、と問われて考え込む人はいません。
　しかし、男女のカップルが同居をして家庭をもつという結婚のスタイル（一夫一婦制）は、実は人類の長い歴史から見れば、つい最近のできごとです。「愛のかたち」の移り変わりには、人間の歴史を知る大きなヒントがあるのです。
　例えば、狩りや農業を共同でおこなって生活をしていた原始の社会では、いま私たちがイメージするような家族のかたちではなかったよ

うです。研究によると、人間が集団生活をはじめるようになると、最初はある集団（母親を中心とする氏族）のなかの男性のグループと別の集団（氏族）の女性のグループが集団でむすばれる「集団婚」がおこなわれていたそうです。「合コン」やカップリング・パーティーではありません。特定の二人がむすばれるのではなく、グループ同士でむすびつくので、そのグループ内でパートナーが変わることもあったでしょう。

ですから結ばれた男女も、独立した住まいをかまえるのではなく、男性が女性の氏族を訪問して夫婦生活をいとなんでいたようです。夫婦はつねに同居していたわけではないので、嫁と姑(しゅうとめ)のややこしい関係も、存在しなかったでしょう。

さて、こういう時代の恋愛は、文字通り相手を気に入ったかどうかだけが基準で、収入が良さそうだとか、財産がありそうだとか、そんな打算とは無縁です。相性が悪ければ、さっさと別れて、次の相手を探せばよいわけです。もちろん、女性が男性を経済的に頼りにするようなこともありません。重労働を男がおこない、軽労働は女がおこなうという、体の違いによる差はあっても、男も女もそれぞれの持ち場で仕事をして、氏族全体のくらしをささえていました。ただ、その氏族が母親の系列によってつくられていたので、女性の地位は高かったと言えるでしょう。母としての女性をうやまう像（土偶）も出土しています。

「自由恋愛だと社会は乱れそうですが」

そう思うのは、今の目線で見るからです。結婚や生活のあり方が根

本的に違っていたことを忘れてはいけません。男女がほぼ平等で、自由な恋愛関係が可能だった時代には、その時代なりの文化も発展しました。

「万葉集」という古代末期（7世紀後半〜8世紀後半）の和歌を集めた日本最古の歌集があります。天皇、貴族から庶民まで、様々な人々の歌を集めているのが大きな特徴です。そのなかには、次のような歌もあります。

　　上_{かみつけ}毛野安蘇_{の あ そ}の真麻屯_{ま そ むら}かき抱き寝れど飽かぬをあどか吾がせむ

現代風に言うと、「（上毛野の安蘇というところでとれる）麻の束を抱くように、可愛いお前を抱いたけど、どれだけ抱いても抱き飽きるということがない。ああ、この俺はどうしたらいいのだ」といったところでしょう。若い男性の悶々とした気持ちをダイレクトに表現しています。

一方、女性も積極的です。

　　遊_{みやびを}士と吾は聞けるを宿貸さず吾を帰せりおその風流士_{みやびを}

この歌は、「イケてる人だって聞いていたけど、私を泊めないで帰すなんて、なんて『今風』のお人だこと」といった意味です。作者の女性は、好きな男性をモノにしたいと、変装して相手の家に行き、あわよくば泊めてもらおうとするのですが、相手はそれにのらずに、むなしく帰らざるを得なかった。その「恨み節」です。おしかけて泊まってしまおう、というあたりは相当に押しが強そうです。

男女の性愛を自由奔放に歌ったこの時代の作品は、後世に残る文化的成果となっているのです。
　万葉集のなかには、結婚相手をいろいろ変えながらも、自分は母親の家に住みつづけ、年をとってからは、主（あるじ）として一家を取り仕切った女性も登場します。これが当時のひとつの「家」のあり方だったようです。万葉集には、自分の親を歌ったものもかなりありますが、そのなかで父だけを歌ったものは、一首（20巻4341番）しかないと言われています。母親の存在感ががぜん大きい時代でした。

「夫婦別居の時代はいつまで続いたのですか？」

　集団婚の時代のあとも、夫婦は同居せず、夫が妻を訪問するというスタイルの結婚（妻問い婚）がしばらく続いたようです（大和〜奈良〜平安時代中期）。

13章　「永遠の愛」はあるのだろうか

この時代は、子どもも母方の家で育てられました。母を中心に暮らすということは、女性が生活を支える役割をもっていたことを意味します。食器の製造なども女性がになっていたようです。そうなれば、夫が訪ねてこなくても、生活の面であまり困ることはありません。また、別の男性（女性）と関係をもつこともありました。こうしたゆるやかな夫婦関係を維持するうえで必要なのは、互いの愛情だけでした。

　大和〜奈良時代ぐらいまでは政治の舞台でも女性の役割は小さくありませんでした。この時期の推古天皇から称徳天皇までの178年間（592年〜770年）でみると、男性天皇と女性天皇はまったく同数です。

　平安時代に入ると、国の政治の中心の仕事につくのは男ばかりになりますが、それでも、彼らを経済的にバックアップしていたのは妻の実家でした。この時期には、貴族の間では、妻のもとを夫が訪ねるというスタイルから、夫が婿に入る「婿取り」、つまり「マスオさん状態」にかわっていきます。天皇の妻も、実家で出産・子育てをしたり、天皇が妻の実家で暮らしたりすることもありました。妻の「実家」はかなりの影響力をもっていたわけです。

　しかし、鎌倉時代をへて室町時代になるころには、大きな変化がはじまります。結婚のスタイルが「婿取り」から「嫁取り」へと変わるのです。そして、子どもは父親の氏族に属することになり、代々男の子が、その家の財産を受けついでいくことになっていきました。それによって、男女の関係は、男性優位へと変化し、それまでの女性の地位や権利が失われていったのでした。

　この背景のひとつに、男を中心とする武家社会＝軍事組織がものをいう時代になっていったことがあります。貴族が支配した平安時代から、鎌倉時代・室町時代をへて戦国時代へ移り変わっていく時期です。

父親＝家長がもっとも大きな力をもつ「家」という制度ができあがっていったのも室町時代からだと言われています。

平安時代には「源氏物語」など、今日まで世界でも読み継がれるような恋愛小説の傑作を女性が書きあげていました。ところが、武士がはばをきかす時代になると、文学でも、こうした男女の豊かで、自由な情感を描いた作品は、しばらく生まれなくなってしまいました。

「男にロクな恋愛小説は書けないということですか？」

そこまで言う資格は私にはありませんが、平等で、自由な恋愛がないところに、心の動きを豊かに表現できる文化は花開かないことだけは確かだと思います。

18世紀のはじめの江戸時代には、女性の「あるべき姿」を教えるための「女大学」とよばれる教訓集が登場します（1716年）。「淫乱」「嫉妬」「不妊」「舅に従順でないこと」「感染症」「多弁」「盗癖」の嫁とは離婚すべきだと教えています。そして、妻には「嫁いだら夫の両親を実の親以上に大切にせよ」「妻は夫を主君として仕えよ」「自分の親への勤めを果たすときでも夫の許しを得ること」などを命じています。

明治時代になって、近代化が上からすすめられると新しい変化が生まれます。産業が発達し、女性も働き手となることが求められるようになったのです。しかし女性は、公私にわたって低い地位におかれていました。

当時の憲法（大日本帝国憲法）には、男女平等はありませんでした。民法では、結婚には戸主（ほとんどの場合は父）の同意が必要（旧民法

750条)で、財産を相続できるのは子どもで、妻は子がいない場合となっていました(旧民法970条)。「婦は夫を天に頂き、夫は婦を率い従える」(「家庭教育指導叢書」1944年)と言われました。刑法にも、姦通罪(かんつうざい)がありました。妻が不倫をすれば罰せられ、男の浮気は不問に付されるという馬鹿げたものです。さらに女性は参政権どころか、政治的な団体に入ることも、演説会に参加することも禁じられていました(「集会及政社法」1890年)。

この状態が根本的にかわったのが、第二次世界大戦で日本の天皇制、軍国主義がたおれて、いまの憲法ができてからです。日本国憲法の第24条は次のように書かれています。

　１項　婚姻は、両性の合意のみに基いて成立し、夫婦が同等の権利を有することを基本として、相互の協力により、維持されなければならない。
　２項　配偶者の選択、財産権、相続、住居の選定、離婚並びに婚姻及び家族に関するその他の事項に関しては、法律は、個人の尊厳と両性の本質的平等に立脚して、制定されなければならない。

明治以来の男女差別の法律はほとんどなくなりました(＊１)。様々な分野で男女の平等を実現するための法律や施策もおこなわれています。ただ法律に書けば、すべてそのようになるというものではありません。男女の差別は、今も様々なところに残されており、それを取り除くためには、男女の意識的な努力が必要です。

　＊１　ただし、民法には夫婦別姓が認められない、女性のみの再婚禁止期

間、結婚年齢を女性16歳・男性18歳とするなど、差別的規定が残っています。

「男女の関係は今後、どう変わっていきますか？」

　歴史の流れは男女平等にあることははっきりしています。いずれは「男らしさ」「女らしさ」のような、社会のなかでつくられた意識も消えて、性的マイノリティーとされるLGBTの人々も、偏見や差別を意識しないですむ社会へと向かう——これが人間社会のすすむべき方向でしょう。

　先に見たように、日本の歴史のなかで「男優位」の時代は一時期のできごとでした。

　日本列島で人間が集団でくらしはじめたのは、最も古い説で4万年前です。4万年の間で、女性があきらかに男性よりも低い地位におかれていたのは、室町時代から昭和の半ばまでの約600年です。日本の歴史の1.5％にすぎません。

　「日本の伝統的な家族」などと言って、戦前の家族を理想化する政治家がいますが、それはまったくのウソで、「妻が夫に従う」家族は、日本の長い歴史（伝統）のなかでは、例外的な「異常事態」でした。男も女もそのことを肝に銘じておく必要があると思います。

　では、こうした変化はなぜおきたのでしょう。今までのことを、おさらいしてみましょう。

　原始の時代のように、人間が小さな集団でまとまって、農作物をつくったり、狩りをしたり、生産する水準が低いときには、みんな力を

合わせないと食べていけません。男も女も、それぞれの持ち場でいっしょうけんめい働いたことでしょう。支配者も支配される者もまだない時代です（原始共産制）。これが男女のわけへだてのない当時の社会のおおもとにありました。この時代は、縄文時代から弥生時代のはじめまで続いたと言われます。

　やがて、生産力が発達してくると、食べきれないものを手に入れることになります。その余ったものを交換して、別の品物を手に入れることもできるようになります。こうして、一部の人々が多くの富と力をもつようになり、支配するグループと、そのもとで支配され、働かされるグループという、階級の区別が生まれます（「12章　誰が政治を動かしているのか」参照）。日本の場合はその地域の集団がまるごと奴隷のように支配されていました。奴隷制時代です。これがだいたい平安時代で終わります。「妻問い婚」がおこなわれていた時期で、男女の差はあまりなく、むしろ女系の影響力が強かった時代です。世界では、奴隷制になると、男性が主導権をにぎる社会になっていくのですが、日本の場合は、そう簡単に女性は「負けなかった」のですね。

　次にくるのが封建時代です。奴隷の時代とは違って、農民の身柄はやや自由になって、自分の畑や田んぼで働きますが、土地の持ち主は領主（殿様）で、農民も勝手に土地をはなれることはできず、作ったものもかなりの部分が取り上げられました（年貢）。武士が中心となるこの時代は鎌倉時代から江戸時代までつづきます。武力をもって支配したこの時代に、女性がおとしめられていったことは先に見ました。

　次が明治時代以降の資本主義の時代です。働き手はそれ以前と違って、身柄は自由になりますが、土地もなく、自分でものを作って、食べていくことができません。そこで、資本家に雇ってもらい、労働力

を売って、賃金をもらい、それで生活をします。この時代には、男性も女性も働き手となり、やがて、男女平等に向けた動きが広がるようになります。

　このように女性の地位をめぐる歴史の移り変わりは、生産の仕方、とくにそのなかでの人間の関係（生産関係）の変化によって、区切ることができます。愛や結婚のかたちの変化からも、時代の移り変わりは、気まぐれや偶然ではなく、経済の発展、そのなかでの階級の関係が土台にあることがわかります。

14章
「男らしさ」「女らしさ」とは何か

　それは思い込みから生まれる偏見です。
　どこに男や女を感じるのか、あるいはパートナーとしての魅力を感じるかは、人によって違います。時代によっても変化するものです。
　例えば、女性的なものと見られがちなバレエも、もともとフランスなどでは、宮廷で男性が中心になって踊るものでした。あのベルサイユ宮殿を作ったルイ14世はみずから舞台で踊るほど熱心な愛好家であり、ダンサーでもありました。
　資本主義が本格的に発展しはじめる18世紀になると、お金を出せば、王侯・貴族でなくてもバレエを見られるようになります。すると、様相が変わってきます。女性ダンサーが人気を博し、「踊り子」を金銭で「囲ったり」「買ったり」する男性パトロンが、資本家などの富裕層からあらわれるようになりました。その後、フランスやロシアが国として保護・育成したことで、バレエは芸術として大きく発展していきます。
　20世紀に入ると、それまでの女性ダンサー偏重から男性ダンサー

を主役にした振り付けも生まれ、男性の体や動きの美しさもクローズアップされていきました。原点に戻った感じです。また、それまで「女性らしい」とされた、腰にひらひらのついた衣装（チュチュ）を脱ぎ捨てて、引き締まった身体の美しさをダイレクトに押し出す女性ダンサーも出てきました。

　これは一つの例ですが、「男らしさ」「女らしさ」というものが、人間の手によって、そのときどきの時代につくられ、変化させられてきたものだということがわかります。

「男女平等とは、男女の区別をなくすことですか？」

　男女では肉体にも違いがあります。脳も肉体の一部ですから、考え方や感じ方に差が出るのは自然なことです。そういう男女の違いは、しばらくはなくならないでしょう（人間がどう進化するかはわからないので、「しばらく」です）。

　生物がオスとメスに分かれたのは、進化の早いころだと言われています（藻の仲間の段階）。オスとメスが交配することで、いろいろな遺伝子の組み合わせが可能になり、多様な子孫を残すことができるようになりました。それが多くの種類の生物を生み出すことにつながったそうです。そうすることで、環境が変化しても、それに耐えて生き残れる子孫が生まれる可能性も高まるわけです。一方、オス・メスの区別のない生物は多様な進化はとげず、バクテリアのような段階にとどまっているとも言われています。

　オスとメスに分かれていることは哺乳類の場合、大きなメリットがあります。たとえば卵を産み付ければいい昆虫などと違って、出産に

は大きな負担とリスクがともないます。育児にも時間がかかります。

　とくに人間の場合は、子が独り立ちするまでの時間は、他の哺乳類と比べても長くなっています。子馬は生まれてすぐに立ち上がれるのに、赤ちゃんは歩けるまでに１年前後はかかります。哺乳類で子育てにオスが参加するのはまれだと言われていますが（＊１）、人間のように育児に手間がかかる場合、「出産しない性」＝男性がそれを手助けすることは、道理にかなっています。男性が育児や家事に参加する時間が増えつつあるのは、自然ななりゆきと言えるでしょう。人間はそもそも、男女がそれぞれの異なる能力を生かして、平等な立場で協力してこそ、うまくいくようになっている哺乳類なのではないでしょうか（＊２）。

　　＊１　長谷川眞理子『動物の行動と生態』（放送大学教育振興会、2004年、p.212-213）
　　＊２　『できそこないの男たち』（光文社新書、2008年）という本を書かれた生物学者の福岡伸一さん（青山学院大学教授）は、次のように語っています。「あらゆる生命は最初、メスとして発生します。メスとしての基本仕様を、オス用にカスタマイズすることでオスは生まれてくるのです。そのカスタマイズは、急場しのぎで無理があるため、男は女に比べて病気やストレスに弱い、ひいては死にやすい生き物となります」「生物学的には、男の優位性は全くの幻想であり、決定的に誤っています」（「日本経済新聞」　2008年10月29日夕刊）

「自然に男女平等の社会になっていくのですか?」

　女性が差別される社会は人間がつくってきたものです(「13章 『永遠の愛』はあるのだろうか」参照)。自然にはなくなりません。人間がなくさなければなりません。

　女性の地位や権利も自動的に高まってきたわけではありません。100年あまり前までは、女性が選挙で立候補したり、投票したりできる(参政権)国は世界のどこにもありませんでした(英領ニュージーランド〈1893年〉が世界初と言われます)。20世紀に入ってから、欧米にひろがりますが、それは各国で女性の参政権を求める運動があったからです。

　日本でも1878年(明治11年)に、高知県のある女性が「(夫と死別して)戸主となって納税しているのに、女だから選挙権がないというのはおかしい」と県と国に訴え、町ぐるみの運動をくりひろげました。その結果1880年、県は日本で初めて、戸主に限って女性に参政権を認めました(＊3)。その後、明治の末から大正にかけて、平塚らいてうや市川房枝らによる新婦人協会(1919年)が、議会が女性の要求をとりあげるよう運動し、そのなかで女性参政権を求める運動にも力を入れてきました。そして、婦人参政同盟(1923年)や、婦人参政権獲得期成同盟会(1924年)などの運動団体がつくられていきました。

　こうした戦前からの努力が実をむすんで、1945年12月に選挙法が改正され、女性の国政参加が認められたのです。戦後最初の1946年の衆議院選挙では、女性議員39名が当選しました。高知の女性が声をあげてから68年後のことでした。

戦後、世界でも男女平等を求める流れが大きくひろがりました。1979年、女性差別撤廃条約が国連総会で採択されました。この条約は、「子育ては、男も女も、社会全体で責任を負う」「男と女の《伝統的》な役割分担をかえる」「親が家事や育児と、仕事などとを両立できるように、保育など必要なサービスを国がすすめる」ことなどを決めています。これは、男女平等の原則で社会をつくりなおそうという画期的なものでした。押さえつけられてきた女性の地位を、ふたたび取り戻す時代のはじまりをつげる歴史的な条約といえるでしょう。これもまた、世界中の女性が長年にわたって運動してきたことが土台になりました。

　日本でも1985年に、女性差別撤廃条約を批准しました。雇用について男女差別を禁止する男女雇用機会均等法も、この年制定されました。

　　＊3　日本政府は1884年、法律を改正して、町村会議員選挙から女性を除外したので、この女性参政権は消滅しました。

「でも、差別を感じることがまだ多いのですが」

　そう感じるのは、あなただけではありません。

　政府の調査でも（＊4）、職場で「男性の方が優遇されている」と考える女性が6割近く（57.7％）もおり、「平等」と答えたのは2割台です（28.5％）。社会で「男性の方が優遇」と答えた女性はほぼ7割（69.8％）、「平等」は2割台です（24.6％）。

これは日本にまだまだ多くの問題があるからです。

　その一つが、女性の賃金が男性にくらべて安いことです。2013年の男性の平均年収は511万円なのに、女性は272万円です（＊5）。企業は「勤続年数の違い」「パートに男女の差はない」「職種で昇進が違う」などの理由をつけています。国際機関（国際労働機関ILO、国際人権委員会、国連女性差別撤廃委員会）は日本政府に、こうした差別をただすべきだ、ときびしい意見をつけています。

　ところが自民党政府は大企業の負担は軽くしてあげたい、という立場ですから、女性の「活躍」（働かせること）は口にしても、賃金を上げることには熱心ではありません。

　働き方にも差別があります。働く女性の半分以上が非正規雇用と言われるパートや派遣などです。これにたいして政府は、女性を「雇いやすく、切りやすい」働き手として利用していることを制限するのではなく、派遣などをもっと増やせるようにするのが方針です。

　女性差別の背景には、「もうけ第一主義」で行動する大企業と、それを応援する政治があります。「もうけ第一主義」が苦しめるのは女性だけではありません。女性差別が残されたまま、男性だけが幸福になることもありません。女性差別をなくすことは、この企業のあり方、社会と政治のあり方を変えていくことでもあります。ですから、これは、女性だけでなく、男性の課題でもあるのです。

　　＊4　内閣府『男女共同参画社会に関する世論調査』2012年
　　＊5　国税庁『民間給与の実態調査』2013年分

「男性が意識を変えることも必要では？」

　「子育ては母親の責任」「家族を守る妻」といった古い考えがまだ残っていることはたしかです。世論調査によると「夫は外で働き、妻は家庭を守るべきである」（「どちらかといえば」を含む）に賛成なのは男性で46.5％ですが、女性でも43.2％です（＊6）。
　私も、男性の努力が大事だと思いますが、問題はそれだけではないようです。
　「男女平等」「男女共同参画」を「日本の伝統に反する」などと言って、攻撃し、妨害する勢力がいるからです。しかも、そうした人々が自民党を支えているのです。彼らは、アジアへの侵略戦争をやった日本を素晴らしい国だったと言い、その当時の父や夫に従わなければならない家族の姿を美しい伝統だなどと主張しています。女性差別をなくすことをめざす世界の流れに公然と反対する「日本会議」といわれる勢力です（＊7）。
　差別をなくしていくうえで、こうした勢力を日本の政治のなかから、除いていくことが重要になっています。

　＊6　内閣府「女性の活躍推進に関する世論調査」2014年
　＊7　日本会議……日本の侵略戦争を「アジア解放」の「正義の戦争」と美化し、憲法９条の改悪などをめざす団体で、財界や靖国神社の関係者などが参加して、1997年につくられました。その国会議員版が日本会議国会議員懇談会です。靖国神社参拝、「愛国心」教育の強化を求め、南京大虐殺や「慰安婦」問題を否定しています。さらに、性差別の廃止をうたう政府や各県の「男女共同参画」を「男らしさ

や女らしさを否定する」ものと反対しています。

　一言つけくわえておきたいのは、かつての軍国主義の日本が、女性を戦争に利用したことです。

　戦前・戦中には「国防婦人会」（1932～1942年）や「大日本婦人会」（1942～1945年）といった戦争を後押しする女性団体がつくられました。「国防は台所から」というスローガンのもとに、出征兵士の見送り、残された家族の支援、陸軍病院などでの洗濯、さらには遺骨の出むかえまでおこないました。まさに男性が「安心して戦争に行ける」ようにするための活動でした。

　日本の侵略戦争を「正しい戦争」だったと主張する人たちが、男女平等に反対しているのは、けっして偶然ではないのです。

15章
「革命」はおこるだろうか

　　　なぜいきなり〝革命〟の話ですか？

　歴史がすすむとき、新しい時代が来るときには、革命的な出来事がありました。そこで、歴史の話の最後に、革命についても、一言いわせてください。

　革命とは反乱や暴動のことではありません。IT革命とか産業革命などのように、これまでのあり方を根本からかえるような出来事をさします。政治の場合は、これまでの支配体制がかわるような変革をさします。フランス革命では、王侯貴族の支配をうちやぶって市民が支配権をにぎりました。「革命」とはそのやり方ではなく、社会を支配していた勢力が根本的に変わることをいいます。

　フランス革命のような場合は、力で王政を打ち倒す以外にありませんでした。しかし今日、多くの国では選挙で国民が政権を選ぶことができます。つまり、選挙をつうじて革命をおこすことが可能になっています。フランス革命では、一部のリーダーたちが先頭にたって、革

命をおこしましたが、今日では、国民の多数の支持を得て、議会で多数をしめて革命をおこすことになります。ただ、議会で多数をとったからといって革命がおきるわけではありません。それまでの支配勢力は、官僚や行政機関などを使って支配をし、マスコミや国民生活の様々な分野にその支配の網の目をはりめぐらしてきました。それだけに、こうしたもののいいところは活用し、発展させながら、作り直していくことが必要になります。それはかなりの時間と手間がかかることになるでしょう。フランス革命のように民衆が立ち上がって、王様を追い出せば実現できるものとは、大きな違いがあります。

「日本に革命は必要ですか？」

これまで見てきたように、「もうけ第一主義」と、「アメリカいいなり」の政治が、私たちのくらしと社会の様々な問題のおおもとにあります。言いかえれば、いまの日本を牛耳っているのは、日本の大企業・財界とアメリカの支配層です。自民党などの政権与党は、これらの勢力の意思にそって政治をおこなっているわけです。これを国民が「かじ」をにぎるものに変える必要があります。これは、たんなる政権交代ではありません。2009年に自民党から民主党への政権交代がおこなわれました。しかし、財界とアメリカいいなりという自民党政治の枠組みに手をつけることがなかったので、結局、それまでの政治と変わらず、国民の期待を大きく裏切るものとなりました。

いまの政治のゆきづまりや国民のくらしの状況をかんがえると、財界とアメリカの手から日本をまるごと、国民の手にとりもどすことが必要になっていると言えます。国民が真に国の「主人公」になること、

それは、日本のあり方を変えていく革命だと言えます。

　これは、資本主義をやめるということではありません。あくまで国の主人公を国民にするということです。本当に国民主権、民主主義を実現するということです。言わば民主主義の革命です。その先に、どういう道をすすんでいくのかは、国民自身が議論をし、真剣に考えていくことになるでしょう。

「誰が革命をおこすのでしょう？」

　それは一つの政党だけでおこなうものではありません。国民多数の意思を結集するためには、政党のレベルでも、また、国民のレベルでも広い共同が必要です。具体的には、複数の政党、様々な団体、著名な個人などが参加した共同の組織（統一戦線）がその母体となっていくでしょう。

　今すぐに、革命をおこなうことをめざす、こうした共同の組織がつくれる状況にはありません。しかし、それ以前にも、政治の暴走にとりあえず歯どめをかける。例えば、戦争法（安保法制）を廃止して、立憲主義をとりもどすといったことだけを目的に、共同の力で政府をつくるということは、可能だし、必要なことです。そうした政治を変える体験をつうじて、次のステップも見えてくることになるでしょう。

　私たちが、日々の活動のなかで、いつも共同をひろげ、やがては政治をかえる共同に発展させることを意識していくことが、大事になっていると言えます。また、そうした展望をもつことで、一進一退はあっても、毎日の活動の大きな意味を実感することができるのです。

IV
資本主義という時代に生きる

16章
格差の何が問題か

　ひとにぎりの人々がとてつもなく大きな報酬を手にし、莫大な資産をもつ一方で、貧困が広がる、「格差」が問題になっています。

　ある調査によると世界の資産の半分（48％）が1％の人々の手にあると言われています（＊1）。日本でも、全世帯の約2％にすぎない富裕層がもつ金融資産は、80％の世帯が保有する資産の44％にあたります（＊2）。生活保護を受ける人も増え、貧困の状態にある人は全人口の16％をこえました。6人に1人です（＊3）。

　格差とは、豪邸に住んで、高級ブランド品を身につけ、毎日豪華な食事をしている金持ちがいるが、それは庶民には手の届かない贅沢だ、というだけの話ではありません。

　どう考えても使いきれないほどのお金をさらに増やしている人々がいる一方で、貧困が拡大するということが問題なのです。貧困とは貧乏とは違い、「貧しい」だけではありません。人と人とのつながりも薄れ、孤立して、貧しさから抜け出す道が見出せない、そんな困難な状況におかれることです。2008年末の「年越し派遣村」の「村長」

をつとめ、貧困問題にとりくむ湯浅誠さんは、次のように言います。「(貧困は)単にお金がないだけじゃなく、頼れる人間関係や、『やれるさ』という前向きな気持ちをもちにくい状態を指す。逆に言うと、たとえお金がなくて『貧乏』でも、周囲に励ましてくれる人たちがいて、自分でも『がんばろう』と思えるなら、それは『貧困』じゃない。それが『貧乏』と『貧困』のちがいだ」(湯浅誠『どんとこい、貧困！』理論社、2009年)。

* 1 　国際NGO「オックスファム」(OXFAM)2015年１月19日
* 2 　野村総合研究所の推計(2014年11月18日)。富裕層は金融資産１億円以上、最下層は金融資産3000万円未満の世帯
* 3 　生活保護世帯が最も少なかったのは1992年の58.6万世帯。そこから上昇に転じて、2015年１月時点で217万人と過去最多となりました。厚労省の国民生活基礎調査(2012年)によると2012年の日本の相対的貧困率は16.1％と過去最悪を更新。相対的貧困率とは、国民の所得分布の中央値の半分(2012年は122万円)未満の状態を示します。

「貧困と言われても実感できないのですが」

　ルポライターの鈴木大介さんは、『出会い系のシングルマザーたち——欲望と貧困のはざまで』(朝日新聞出版、2010年)という本で、「母子家庭」にのしかかる「圧倒的な貧困」の実態をあきらかにしています。それは「精神も、環境も、体力も知力も、なにもかもを喪失した『持たざる者』」「彼女らの手の中にあるものは、わが子の小さな手だけ。その悲鳴と慟哭が響きわたる世界」です。

「なぜそこまで堕ちてしまったのか。なぜそこからはい上がれないのか。おそらくその疑問は、母子世帯の貧困、子どもの貧困や格差という、日本がいま直面している大問題をひもとく糸口となる」と鈴木さんは言います。

世間には、シングルマザーにたいする「自己責任論」や「バッシング」もあります。

2014年3月にインターネットで申し込んだベビーシッターの自宅で、2歳の男の子が死亡する事件がありました。報道人に囲まれた被害者の母親の口をついて出た言葉は、「このたびは世間をお騒がせして申し訳ありませんでした」でした。「彼女は愛するわが子を殺された被害者だ。被害者が、世間に頭を下げなければならないとは、この国はいったいどうなっているのか」（猪熊弘子『「子育て」という政治』角川SSC新書、2014年）という叫びに、私はつよい共感を覚えます。

事件の背景には、保育所が足りない問題（待機児童）、民間のベビーシッター料金の高さ、そして、働いても食べていけない安い賃金、結果として昼も夜も働かなければならない現実があります。

2014年7月に発表された調査（＊4）によると、18歳未満の子どもがいる世帯の貧困率は過去最悪の16.3％でした。『子どもの貧困』（岩波新書、2008年）の著者・阿部彩さんは、「子どもの貧困状態は、学力、健康、自己肯定感などと相関関係にある」と警告します（＊5）。2010年の資料によると、一人暮らしの現役世代の女性では3人に1人が貧困（31.6％）。男性でも年齢をつうじて貧困率が最も高いのは若い世代（20〜25歳）です。女性と若者が一番苦しめられています。

格差と貧困は、人間の尊厳と日本の社会の将来がかかった大きな問題なのです。

*4 厚生労働省「平成25年国民生活基礎調査」
*5 2014年9月17日、東京・内幸町のフォーリン・プレス・センターでの講演（"Huffington Post"電子版、2014年9月25日）

「貧富の差は努力の差ではないですか？」

　たしかに、同じ仕事をしても、早い人もあれば、遅い人もあります。また技術や知識も様々でしょう。しかし、一人の人間としての差が、今日のような「格差」を生むほどの差があるとは思いません。

　大企業の最高責任者のなかには10億円以上の年収を得ている人がゴロゴロいます（＊6）。ソフトバンクの孫正義社長の報酬総額は約96億円にもなります。比較しやすく250万円（国民所得の中央値は244万円）と100億円とすると、ざっと4000倍の差です。最低賃金は1時間あたり780円（2014年全国平均）ですが、孫社長が平均的な労働時間だけ働いたとすると（＊7）、時給500万円以上になります。最低賃金の6410倍です。

*6 報酬総額1位はソフトバンクの孫正義社長の95億5800万円。うち自社株の配当収入が94億2800万円。2位はファーストリテイリングの柳井正会長兼社長で70億6600万円。うち配当収入が66億6600万円（東洋経済『役員四季報2015年版』より）
*7 週40時間、残業なし、完全週休2日、年次有給休暇完全取得した場合で計算。年間約1800時間

16章　格差の何が問題か

どんなに力の差や条件の違いがあっても、二人の人間の活動によって生まれる結果が数千倍にもなるというのは、あまりに極端すぎます。これは個々人の人間としての能力の差をはるかにこえています。
　実は、大企業の経営者が会社からもらうのは賃金ではなく、「報酬」です。それは、社長が実際それだけ働いたかではなく、企業のもうけの大きさに左右されます。もうかれば、その分増やすことも可能です（＊8）。さらに、自分の会社の株をもっていれば、その値上がり分は、まるまる自分のものになります。孫社長も自社株の配当収入が全報酬の99％を占めています。社長が株を上げるために汗をかいて働いたわけではありません。社員の働きによるものです。
　あとでくわしく見ることになりますが、大事なことは、このとてつもない格差は、一部に大金持ちがいるということだけでなく、巨大な浪費を生みだすなど、今日の社会全体をゆるがす問題にもつながっていることです。

　　　＊8　株主総会で総額をきめます。特別に賞与を出すこともできます。

「むかしから格差や貧困はあったのではないですか？」

　「2章　アマゾンで生き残れない人間」で見たように、様々な弱点をカバーしあうことができるのが人間社会の強みでした。経済的に困難な状態にある人々を、社会全体で助けていくいろいろな仕組みも、人間の歴史のなかで生まれてきました。
　例えば、農耕が発達すると、作物のとれ具合などによって収入の差

が生まれます。そこで、もてる者が貧しい人にも収穫物や金銭を分け与えることがおこなわれるようになりました。仏教でお布施、イスラーム教ではザカートやサダカ、キリスト教ならチャリティーと言われるものが、そうしたものから生まれたと言われます。日本でも奈良時代には、道路や橋、池・用水をつくるといった貧困地域の対策がおこなわれ、平安時代には、上流貴族が各地で貧民救済の政策をおこなったとされています。

　資本主義の時代になると、労働者の失業や健康、貧困などが問題になりました。はじめは資本家や国も、「これは個人の問題だ」と言っていました。しかし、これらを放置すると社会や経済にも悪影響がでることや、労働者のたたかいもあって、次第に社会保障の制度がつくられていきます。19世紀から20世紀にかけて欧米では、貧富の差とそれによっておきる社会問題をやわらげるために、福祉政策がすすめられました。また、税金も、所得の多い人々や企業にたいして高く、所得の少ない層には低くする制度（累進課税）もつくられ、所得をすこしでも公平に配分するための政策がとられました。しかし、「こうしたやり方は、経済の活力を弱める」といった主張も資本家などから出され、労働者がこれに反対して運動するということもおこなわれてきました。

　やがて、20世紀の末ごろから、アメリカを中心に、何でも自由に競争して勝ったものが成果を手にする、という考え方がひろめられました。国や自治体が手助けをすることをとことん減らし、何でも民間や個人にまかせて、市場（お金で売買すること）で決めるというものです（新自由主義）。「貧しいのは自己責任」「自分の努力でもうけて何が悪い」という考えです。その一方で、これにたいする労働者をは

じめとする国民の運動が新たな広がりを見せているというのも、いまの時代の特徴です。

　人類の歴史は、ジグザグはあっても、格差や貧困という社会的な不正義をただす方向ですすんできたということを、強調しておきたいと思います。

「格差や貧困の解決と経済の成長は両立しますか？」

　むしろ、格差や貧困を放置すれば、国民のものを買う力をうばって、国民総生産の６割をしめる内需（国内での消費）をほりくずすことになりかねません。そして、社会と経済の健全な活力をうばうことになるでしょう。日本の経済と国民のくらしが、これからもつづいていけるようにするには、この問題を解決しなければなりません。

　そのためには、企業や資本家の「善意」や努力にまつのではなく、外からの力、社会のルールが必要です。しかし、すぐにでもできることがあります。

　例えば生活保護の予算は、約３兆円（2015年度予算）です。政府は社会保障費が予算全体（96兆円）の３割をこえているから大変だ、などと言って、ここを削ろうとしています。これは、歴史的にも、世界にも例のない驚くべきことです。

　むしろ、国の経済の規模でみると日本の社会保障の費用は大変少ないのです。経済協力開発機構（OECD。日米欧の「先進国」34か国が参加）の調査（2007年）によると、日本の社会扶助費は、国内総生産（GDP）のわずか0.5％です。イギリス５％、フランス4.1％、ドイツ3.3％と比べてもいかに低いかわかります。OECDの平均（3.5％）の

7分の1しかありません。

　しかも、生活保護の対象となる世帯のうち、実際に受けているのは、日本の場合はわずか15.3〜18％です。つまり必要な人のうち2割も受けていないのです。一方、ドイツは64.6％、フランス91.6％、イギリス47〜90％となっています。日本がこんなに低いのは、自分から申告して複雑な手続きをしないといけないなど、様々なハードルがあるからです。生活保護を他の国なみにするだけで、日本の状況は大きく変わるでしょう。

　GDPのなかには企業がかせいだ分もあります。大企業にたまったもうけ（内部留保）は、285兆円（2014年）にもなっています。しかし、今の大企業のもうけが大きくふくらんできた背景は、派遣労働者を増やしたり、税金を減らしたりしてきたからです。福祉や医療なども市場にまかせて商売の対象にしてきました。生活保護を受ける人が増えはじめたのも、企業の活動がこうしたスタイルにかわっていった1990年代にはいってからでした。ですから、大企業の責任も大きいのです。法人税率をもとにもどして（2015年度23.9％、1984年度43.3％）、国におさめる税金を増やし、社会保障の充実にあてるべきです。

　社会保障は「ほどこし」ではなく権利です。貧困や格差がこれほど広がり、深刻となっていることは、これがもはや個人の問題ではなく、社会がとりくむべき問題であることを示しています。

　貧困と社会の差別に絶望した若者が、欧米や一部のアラブ諸国ではイスラムの名をかたるテロ集団の「理想」に共鳴して、ISILに参加しつつあります。若者が希望を持てる社会こそ、真の意味で平和な国です。いま日本がどの道をすすむのかが、鋭く問われていると言えます。

17章
子育てストレスの原因は何か

「子育ての相談もOKですか？」

いえ、ここのテーマではありません。
というか、私には、相談にのれるような能力はありません。
ただ、いま子育て中のお母さんには大きなプレッシャーがかかっていると言われます。例えば、ビジネス雑誌に次のような特集記事があります。
「『算数ができる子のママ』には、素晴らしい特徴がある」
「ママが最高の家庭教師になる！」
子どもの成績はお母さんにかかっていると言わんばかりです。実際、この雑誌には、「ファミリー母親塾」というコーナーもあります。それだけではありません。「子どもの知能を伸ばす料理　テストの成績は『朝食の中身』で決まっていた！」と、朝から「たたかい」がはじまり、「頭のいい子のお弁当」まであります。
こうした雑誌は、かなりの部数を売り上げているようです。これを

そのまま実行している家庭がどれだけあるかわかりませんが、「子どもの将来を考えると、ちゃんと勉強させないと」「家庭の教育やしつけが大事。自分がしっかりしないと」という雰囲気が感じられます。しかも「お金に困らない子の育て方」「お金持ちになる新・学歴ガイド」「子どもが将来、仕事にこまらない大学」といった特集まであります。日本中の家族がはげしい子育て競争をしているかのようです。

「なぜ《子育て競争》がおきたのですか？」

　これは、一人ひとりの子どもの幸せではなく、今の日本にどのような子どもや若者が求められているのか、という国の考えから出てきたものです。例えば、文部科学省が求めているのは「人間力」を身につけた若者です。

　「人間力」とは「社会を構成し運営するとともに、自立した一人の人間として力強く生きていくための総合的な力」だそうです。それは、学力や知識だけでなく、「コミュニケーションスキル」「リーダーシップ」「公共心」「規範意識」「他者を尊重し切磋琢磨しながらお互いを高め合う力」を身につけることです。そして、「意欲」「忍耐力」「自分らしい生き方や成功を追求する力」などが必要とされています（内閣府「人間力戦略研究会報告書」2003年4月）。

　つまり、「仲間と協調する人間になれ。和を乱すな」ということです。自己主張が強かったり、独自行動をする人は押さえつけられたり、差別されたりしかねません。「空気をよめ」という「圧力」です。

「なぜ《空気》のよめる子をつくろうとするのですか？」

　実は「人間力」は、文部科学省だけの思いつきではないのです。
　経済産業省は「社会人基礎力」を打ち出しました。これは「職場や地域社会で多様な人々と仕事をしていくために必要な基礎的な力」だそうで、「前に踏み出す力」「考え抜く力」「チームで働く力」の３つの能力からなっています。企業や若者をとりまく環境が変わってきているので、「学力」や「知識」だけでなく、それらをうまく活用していく力＝「社会人基礎力」が必要なのだそうです。大学ごとに、「社会人基礎力」がどこまで学生の身についたのかを競う「社会人基礎力育成グランプリ」などというものまでやっています。
　つまり、上司にいちいち教えられなくても自分で考えて、職場で力をあわせて仕事ができる「社会人基礎力」をもった働き手が求められているのです。そして、そういう社会をつくる教育が必要だということで「人間力」があるのです。

さて企業は、就職希望者に「人間力」があるのかどうかを見きわめないといけません。そこで登場するのが、厚生労働省の「就職基礎能力」です。それは、企業が採用に当たって重視するもので、「コミュニケーション能力」「職業人意識」「基礎学力」「ビジネスマナー」「資格取得」といったものです（厚生労働省「若年者の就職能力に関する実態調査」結果、平成16年1月）。

　さて、いろいろな「力」がでてきましたが、結論は、知識や学力があるだけではだめで、同僚や上司ともよくコミュニケーションをとって会社のために効率よく働けるようなスキルを身につけなさい、ということです。専門知識などを生かした仕事は一部のエリート集団だけにまかせておいて、「その他大勢」は、上司にたてつくことなく従順に、みんなと仲良く会社のために働ける人間になれということです。

　政府の審議会（教育課程審議会）の会長をつとめた三浦朱門氏は、「できん者はできんままで結構。……落ちこぼれの底辺を上げることにばかり注いできた労力を、できる者を限りなく伸ばすことに振り向ける。……限りなくできない非才、無才には、せめて実直な精神だけを養っておいてもらえばいい」と言いました（＊1）。よくここまで、ぬけぬけと言えたものです。

　こうした「人づくり」は、子どもたち、いえ、若い人たちを幸福にはしません。

　日本では1990年代頃から2000年代にかけて、非正規雇用を大幅に増やして、人件費などコストの削減をはかるようになりました。それまでは会社のなかで研修をおこなって、人材を育てていくというシステムがありました。ところが企業は、すぐに使える労働者をほしがるようになりました。その方が、手間がはぶけて、安上がりだからです。

そういう「人づくり」を、教育と家庭にも求めるようになったのです。

よく若者が就職してもすぐにやめることが問題になっています。「今どきの若者はこらえ性がない」などという人もいます。しかし、それは若者に責任があるのではありません。経験もないのに、いきなり「即戦力」になることが求められれば、戸惑うし、ストレスも大きい。「こんなはずではなかった」「つづけられない」と思う人が増えても当然です。

自分の息子や娘が経済的に自立できないかもしれない。結婚もできないまま生涯独身かもしれない。そんな先行きの不安を拡大させているのが、今の社会のあり方なのです。それを、「自分の努力がたりない」「コミュニケーションがうまくない自分が悪い」と個人の責任に解消してはいけません。ましてや、親や家庭だけの責任ではありません。「素直な良い子」になる競争に巻きこまれては、幸福になれません。

　　＊1　斎藤貴男『機会不平等』（文藝春秋、2000年）

「競争できるなら、まだまし。
　スタートに立つのもむずかしい」

その通りです。プレッシャーを感じながらも、こうした競争にすら入れない人も少なくありません。

「所得の多い家庭の子どものほうが、よりよい教育を受けられる傾向があると言われます。こうした傾向について、あなたはどう思いま

すか」という質問にたいして「当然」(6.3％)「やむをえない」(52.8％)と答えた人が約6割に達しています（＊2）。

　この理不尽なプレッシャーから抜けだすには、今の社会のあり方そのものに目を向けていくことが必要です。そして、声を上げ、行動することです。そうしてこそ、競争やあきらめではなく、「連帯」という人と人との新しい関係が生まれます。もちろん社会に立ち向かって連帯さえすれば、子育ても教育もうまくいくわけではありません。それは別の問題です。しかし、同じ悩みや不安をもつ仲間がいれば、一人で悩み込むよりも、前向きになる糸口がつかめるかもしれません。焦りとプレッシャーの悪循環から抜けだすだけでも、気持ちが晴れるでしょう。そして、その連帯した活動が、子どもたちの将来をより生きやすいものにするのです。そこには、子育てとは別の意味で、親としての生きがいも生まれてくるのではないでしょうか。

　　＊2　「学校教育に対する保護者の意識調査2012」Benesse教育研究開発
　　　　センター・朝日新聞社共同合同調査

18章
幸福はお金で買えるだろうか

「世の中に、お金で買えないものはありますか？」

「Priceless（プライスレス）——お金で買えない価値がある」というコピーをつくったのは、アメリカのクレジットカード会社でした。日本のある自動車メーカーは「モノより思い出」というキャッチフレーズで新車のCMを流しました。

思い出、夢、命や健康、愛……。お金で買えないものはたくさんあります。と言いたいところですが、現代の社会では、これらにもお金が必要なのです。

病院にかかるお金がないために、健康をそこない、命を失うかもしれません。お金持ちなら、高度な治療をうけ、新薬も買えるでしょう。子どもは買えませんが、高額な不妊治療で子どもを授かる夫婦もいます。生命保険は、死後の保証を買うものです。デートにもお金は必要です。借金を返してもらう権利（債権）まで、売り買いされています（*1）。いまや、お金で買えないもの、売れないものはないかのよう

です。

　物々交換がおこなわれていた時代なら、お金ではなく、人と人とのつきあいのなかで、あげたり、もらったりしたものがありました。生活に使う水を共同の井戸や川などからくんだりしていました。まきや肥料になる葉、屋根に使うワラなどを、ルールをきめて共同の林や森で手に入れることもできました。

　いまでは、これらはすべて、お金で売買します。今の社会は、他人がつくったもの、他人がしてくれること（サービス）をお金で買わないと暮らしていけません。これが現代社会の大きな特徴です。

> ＊1　債権の証券化といいます。「100万円を借りて、120万円返します」という債権を、110万円で他の人に売れば、最初に貸した人は未払いのリスクを負わなくてよくなるし、買った人は、ちゃんと返済されれば10万円の差額をもうけられます。現実は、それほど甘くなく、リーマンショックではこれが破綻(はたん)し、次々と借金を返せなくなりました。

「でも人身売買は禁止されています」

　もちろんです。国際条約でも、刑法でも禁止されています。人を商品のように売り買いすることは許されません。しかし、仕事をして、お金（賃金）を手に入れるということがあります。これは一定の時間、会社のために「働くエネルギー」（労働力）を売っているということです（＊2）。

　求人雑誌を見てみましょう。「産休・育休など各種制度充実──子

育て中の方も多数活躍中！　安心して、"長くなが〜く"働けます！」──これは事務系の仕事です。勤務時間は10時〜19時（実働7時間15分）で、給与は月給23万円以上とあります。これが、「働くエネルギー」（労働力）の値段です。

　では、こうした「働くエネルギー」（労働力）という商品の値段＝賃金はどうやって決まるのでしょう。

　働くということは、「ああ今日は疲れた」と思うくらいに、頭も、体も使います。ですから、食べること、着ることはもちろん、休むことのできる住まいも必要です。ショッピングやデートをしたり、映画や音楽など趣味を楽しんだりすることも必要です。子育てや教育など家族の将来のための費用もあります。また病気やけがをした場合に、それを治療するための費用も必要です。

　賃金とはこのように、健康に働きつづけるために必要なお金といえるでしょう（＊3）。

　実は、賃金も、ほかの商品を売り買いするのと同じルールで決まります。

　例えば、ドレスやジャケットでも、手がこんでいるものの方が、値段が高くなっています。スマートフォンでも、開発や生産に時間をかけたものは高額です。もちろん、手に入りにくかったり、いろんなプレミアがついたりして、値が上がることはありますが、基本は「手間のかかった商品の方が高い」というのが一般的です。大ざっぱな言い方をすれば、「その商品の価値は、それをつくった労働時間で決まる」ということです（無駄に時間をかければ高値がつくというものでないのは当然です）。

　では「働くエネルギー」（労働力）をつくる労働時間とはなんでし

ょう。先ほどのべたように、賃金は、働くエネルギーをおぎなうために必要な商品を買うための費用です。ですから、それらの商品をつくるための労働時間の合計が「働くエネルギー」（労働力）を再生する＝つくる労働時間となります。

  ＊2 ここでは「労働」＝何をどれだけやったか、ということよりも、そのために使う「エネルギー」を売っているとしたほうが、中身がはっきりすると思い、この言葉を使っています。労働力のことです。
  ＊3 最低賃金法によって、賃金はこれ以上でなければいけないという基準が県ごとに決められています。最高は東京の１時間あたり888円、最低は鳥取県などの677円です（2014年）。しかし、これらは先進国のなかでも最も低い水準です。

「もうけは賃金を安くおさえて生まれるのですか」

　企業は、賃金をねぎって、もうけを出しているのではありません。もちろん、賃金を安くおさえるために、いろいろな手を使いますし、ブラック企業と言われるような悪徳なものもあります。しかし、そんなピンハネや法律違反のようなことで、企業が大もうけできるわけがありませんし、違反をただされたらもうけが出ないことになってしまいます。もうけを生み出す仕組みがあるはずです。

　話をわかりやすくするために、大ざっぱな計算をしてみましょう。国内で新たにつくられた価値の総額（１年間）は国内総生産（GDP）と言われます。国民１人あたりにすると2014年はおよそ455万円でした。１世帯（平均2.46人）で計算すると約1120万円になります。実

際の1世帯あたりの平均所得は約530万円ですから（若い人や高齢の方はもっと少ないでしょう）、600万円近くの差があります。この600万円分ももとをただせば国民が働いて生み出したものですが、国民の懐には入ってきていません。つまり、国民が「働く」ことによって、生みだした価値は、賃金よりも大きいのです。別の言い方をすると、国民が「働くエネルギー」（労働力）を再生産するだけなら、いまよりも短い労働時間で良いということです。

しかし、「働くエネルギー」（労働力）を買った企業は、賃金分だけ働いて帰られたのでは、何ももうけはありません。当然、もっと長い時間働かせたいと思います。昔は、ヨーロッパでも12時間が下限（！）という時代がありました。日本でも明治時代に資本主義が導入されると1日12〜13時間になりました。なかには17〜18時間という記録も残っています（＊4）。

これが労働者の運動などによって、短くされ、アメリカでは1868年に、国営の事業所では1日の労働を8時間に制限する法律がつくられました。日本では、第二次世界大戦後、1947年の労働基準法で、1日8時間、週48時間（現在は週40時間）と定めました。

労働時間は、時代や国によって、長短がありますが、共通するのは、働き手は、生活のために必要な労働時間（必要労働時間）をこえて働いているということです。それをこえた分、つまり賃金分の時間をこえた時間（剰余労働時間）でつくりだされた価値（剰余価値）が、まるまる企業のものになるのです。ここに企業が、違法なことをしなくても、しっかりともうかる仕組みがあるのです。この仕組みを「搾取」といいます。

実は、この「必要労働時間」と「剰余労働時間」が、実際にどれだ

けあるのかを計算してみた人がいます（＊5）。

　製造業など主に物を作る人の場合ですが、推計によれば、2000年には剰余労働時間は必要労働時間の116.7％でした。つまり、8時間労働と仮定すると、賃金分は、3時間30分で、残りの4時間30分は会社側のまるもうけというわけです。

　ややこみいった話になりましたが、資本主義の大きな特徴の一つは、このように搾取が見えにくくなっているということです。奴隷制や封建時代のように、自分のものが目の前で取り上げられるのと違います。ですから、この仕組みを知ることは、今の社会を変えていくうえでも大変大事になっているのです。

　　＊4　農商務省『職工事情』1903年
　　＊5　泉弘志『投下労働量計算と基本統計指標』（大月書店、2014年）、
　　　　「剰余価値率の推計 日本1980-1990-2000年（第12章）」

「賃金を上げたら競争力が落ちるのではないですか？」

　賃金を上げたらコストがかさみ、競争力が落ちて、経営が悪化する。結果として、働き手を減らさないといけなくなる——経営者側はこう言って賃上げに反対します。
　親会社から「もっと安くしろ」とたたかれているような中小企業では、「賃金を上げたくても上げられない」ということもあるでしょう。しかし、大きな企業の場合、賃金をもっと上げることは十分に可能です。なぜなら、先ほど見たように、賃金を上げるということは、企業側のもうけ分をどれだけ労働者の側にまわすかということだからです。「もうけをすべてよこせ」ということではありません。「もうけの一部をもっとよこせ」ということです。「賃金を上げたら会社の経営が苦しくなる」という会社側の言い分は、「賃金を上げたらもうけが減る」というだけのことです。
　また、賃上げしても、商品をつくる労働時間が変わるわけではないので、その商品の価値は変わりません。ですから「賃上げしたから、商品も値上げしないといけない」という理屈はなりたちません。
　もちろん賃金を上げるのは一人ではできません。そこで力をあわせるために労働組合をつくります。憲法第28条で決められた、働く者の権利です。労働組合には、自分たちの要望を会社側に伝え、それを実現するために交渉し、行動する権利があります。
　全国労働組合総連合（全労連）は毎年２月頃からおこなわれる、賃金の引き上げや労働時間の短縮などを要求する運動（春闘）で賃上げの要求を発表しています。2015年は、月額で２万円以上（≒物価上昇

分9725円＋1万円）、時間額で150円以上（≒物価上昇分33円＋100円）を要求しました。これは全体のもうけからすればけっして大きな額ではありません。

　というわけで、何も心配せずに、腹をすえて「賃金を上げろ」と言うことが大事です。多くの人たちの賃金が上がれば、ものを買う量も増えて景気も良くなるでしょう。

18章　幸福はお金で買えるだろうか

19章
派遣労働も働き方のひとつではないか

　パートやアルバイト、派遣労働などの非正規雇用は、今や全体の4割近くになっています（＊1）。「時間や場所にとらわれずに自由に働きたい」と思うのは当然かもしれません。

　しかし、誰もがはじめから派遣労働者になりたいと思っているわけではありません。25〜34歳の男性で、非正規を選んだ理由を「自分の都合のよい時間に働けるから」と答えたのは29.4％。これにたいし、「正社員として働ける会社がなかったから」が32.9％で、それを上回っています。女性では前者がやや多いのですが、それでも後者との差はわずかです（35.8％と34.1％）。そもそも、この世代の男性では64.7％が「正社員になりたい」と答え、独身女性でも54.5％が正社員を希望しています（＊2）。

　＊1　37.5％。総務省「労働力調査」2014年
　＊2　労働政策研究・研修機構「日本人の職業キャリアと働き方」2015年

一方、企業にとっては、効率よく労働者を使いたいですから、必要なときに、必要な分の働き手があればいいということになります。非正規なら、正社員よりも簡単に採用したり、やめさせたりできるわけですから、「便利」です。そういう労働者が増えれば、いつも多くの正規社員をかかえていなくてもいいので、「コスト削減」になるというわけです。

「非正規でも、仕事がないよりマシではないですか？」

　そう思わせるのも、資本主義の特徴の一つなのです。資本主義はつねに、失業を生みだすのです。
　普通に考えれば、経済が発展し、企業が大きくなれば、それだけ働き手が必要になるはずです。ところが実際には、その逆のことがおこるのです。
　例えば、新しい技術や作り方が導入されると、生産力が上がります。自動車をつくる場合、1台の車がラインの上を移動し、労働者は同じ場所にいて部品をとりつけていきます。今では当たり前のことですが、このやり方がはじまったのは今から100年ほど前のアメリカでした。それまでは、じっと動かない自動車のまわりを労働者が動きまわって組み立てていました。このときは1台の生産に13時間かかっていましたが、組み立てラインの上を動かすことで5時間50分でできるようになりました。さらに自動的にラインが動くようにしたら、1時間半で組み立てることができるようになったのです（＊3）。最近では、ほとんど機械（ロボット）が自動的に組み立てをおこないつつあります。同じようなことは、どんな分野でもおきています。

このように生産の効率が上がれば、労働者は少なくてすみます。生産力を発展させるため、機械などにつぎこむ投資は増える一方、賃金にまわす部分の比率は減っていきます。つまり、ものをつくる規模は大きくなるのに、雇用は同じようには増えないし、場合によっては減るということです。このようにしてつくりだされた仕事につけない人を「相対的過剰人口」（あるいは「産業予備軍」）と言います。企業は必要になると、この「予備」の人々をすくい上げればいいわけで、大変便利です。

　こうして、仕事につけない人をつくっておくと、企業側は、いま働いている人にたいしても「仕事があるだけましだ」とおどして、きびしい条件で働かせることができるわけです。

　非正規雇用というのは、いつでも首切りできるので、現役の労働者のなかに、「相対的過剰人口」をつくるものだとも言えます。しかも、「ああなりたくないだろう」と、正社員にもいっそうきびしい労働条件をおしつけてくるわけです。

　　＊3　デイヴィッド・ハルバースタム『覇者の驕り——自動車・男たちの産業史』（上下巻、日本放送出版協会、1987年）

20章

なぜ「わかっちゃいるけどヤメられない」のか

　タバコが体に悪いと知っていても吸い続ける人がいます。飲みすぎれば、二日酔いになると分かっていても、止められない夜があります。「その一口が」と言いながらスイーツの誘惑に勝てない人がいます。「衝動買い」と思いながらも「SALE」の赤い文字に引き込まれてしまうこともあります。「わかっちゃいるけどヤメられない」症候群は、多かれ少なかれ誰にでもあります。

　しかし、これが日本や世界の問題にかかわってくると、「わかっちゃいるけど」ではすまされません。

　例えば、福島第一原発の事故で、これが破滅的に危ないものだということは、誰もがわかっているはずですが、政府は原発を再稼働し、原子力発電をやめようとしません。二酸化炭素を大量に出しつづけると、地球温暖化や気候変動をおこして、人類の生存をおびやかすのに、大企業は、それを減らすことに抵抗しています。

　バブル経済の崩壊やリーマンショックなど、経済危機や不況がくり

かえされ、その度に失業や貧困が大問題になります。しかも、今は経済がグローバル化しているので、経済危機も世界的な規模です。なのに、成長しつづけようとして、ものをつくり、売りまくろうとするのをやめられない。

　こんなことをやっていたら、ダメになる——誰もがそう思っていてもやめられない。ここに今の資本主義社会の大きな問題があります。

「理性より欲望が勝つと思うんですが」

　たしかに、一人ひとりの「症状」は、本人の決意や治療などによって解決できる問題です。しかし、原発やバブル経済のような問題は、欲望に弱い人間がいけないのでも、強欲な人間がいるから悪いのでもありません。「わかっちゃいるけどヤメられない」社会の仕組みに問題があるのです。

　原子力発電をやめないのは、「コストの安い電力が必要」だからだと言います。二酸化炭素の排出規制が難しいのも、「大企業のもうけのじゃまをしてはいけない」からです。破裂してもバブル経済をくりかえすのも、「もっと売って、もっともうけたい」からです。

　つまり、もうけを最大限に増やすことが目的で、またそれが最大の動機となるような経済の仕組みに問題があるのです。目的であり、動機である、ということはどうどうめぐり、いつまでたっても、そこから抜け出せないということです。ここに、「もうけ第一主義」の正体があります。

　話を簡単にするために、次のような例を考えましょう。

　ある企業家が、手元にあるお金で材料を買い、働き手を雇って、商

品をつくります。その商品を売ってお金を手にします（下図）。その場合、元手よりも大きなお金、つまりもうけがプラスされないと意味がありません。ここでは、商品をつくることが目的なのではなくて、それを売ってお金にすることが目的になっています。

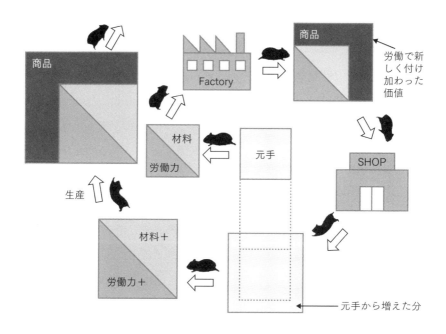

　実は、この流れは一度もうけがでたらそれで終わりではありません。つまり、売り上げを元手に、同じことをくりかえさないと、この会社はつづきません。一度もうけがでたらそれで解散する会社はありません。常に「ふりだし」に戻ってつづいていきます。この回転は途中で止めることはできません。ちょうどハムスターがクルクル走る「まわし車」のようなものです。あるいは、「丸太転がし」かもしれません。止まったら落ちてしまうのです。

もうけをだすことが「目的であり、動機である」と言いましたが、実はそれは封建時代や奴隷制の時代にはなかったことです。
　例えば、生活していくためにものをつくる。つまり、消費することを目的に、ものをつくるならば、その目的が達成されれば、それ以上のものをつくる必要はありません。また、他のものと交換するためにためておくとしても、ものをつくりためておくにはスペースに限界があります。無制限にため込むことはできません。しかも、農業が中心の場合、次々に生産をふやしていけるわけではありません。
　ところが、資本主義社会のもうけ（お金）はためることに苦労することはありません。場合によったら、もうけは単なる数字だけであらわされます。かならずしも大きな金庫を用意して、そこにお金をためこむ必要はありません。数字ですから、ありすぎて困るということはありません。「ここで目的が達成されたからやめよう」とはなりません。なぜならそれ自身が「動機」なのですから、どんどん先にすすもうとするわけです。より多くのもうけを手に入れるために「生産のための生産」に突き進んでゆくのです。
　そこから先に見てきたような格差と貧困など様々な問題がひきおこされていくのです。

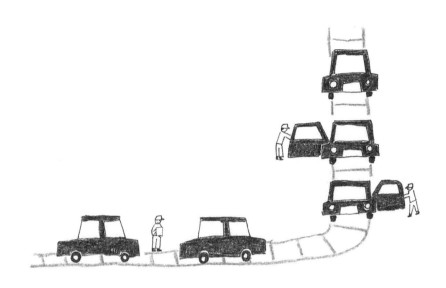

「『もうけたい』という気持ちが
経済発展の原動力じゃないですか？」

　気持ちの問題ではないでしょう。日本の大企業の創業者には、「もうけたい」という気持ちとともに、「これをつくりたい」「これで社会に役立ちたい」という気持ちがあったのも事実です。それが様々な製品を生み出し、くらしや経済に役立ってきました。
　しかし、「もうけ第一主義」が大きくすすんだ現在、「どんなものをつくるか」よりも「どうやって株価を上げるか」「収益を最大にするか」ばかり考えるようになってしまいました。そこで、このもうけの「数字」を大きくすることだけを目的にした銀行や保険会社、証券会社などの金融業がはびこるようになりました。これらの企業は、ものはつくりません。お金を右から左に動かしてもうけを出しているので

す。しかも、彼らの活動は、国境をこえて全世界にひろがっています。

　例えば、為替取引という商売があります。わかりやすく言えば両替です。本来は貿易など外国のお金が必要なときに使われます。2013年の世界の貿易の1日の額は輸入も輸出もそれぞれ約6兆1000億円で、あわせて約12兆円です（＊1）。ところが世界の1日当たりの外為取引額（直物取引）は、約250兆円（2兆46億ドル）です（＊2）。なぜ、ものの売り買いに必要なお金の20倍以上もの両替が必要なのでしょうか。

　それは外貨を買って、値上がりした後に売るなどしてもうける方法があるからです。先物、スワップなどと言われるギャンブルに近いものもふくめた1日の外為取引額は、約650兆円にもふくらみます。貿易額の実に50倍以上になります。

　こうした巨大なお金（余剰資金）が世界中で動き回っています。あるときは石油を買ったり（もちろん実際に品物を受けとるわけではありません）、小麦を買ったり、その商品が必要でないのに、売買をくりかえして差額をもうけるわけです。お金の使い道としては、これほどムダなことはないでしょう。何も生み出さないし、何も消費されないのですから。こんな不合理な社会が長続きするはずがありません。

　世界をかけめぐっているお金の数％を使っただけでも、貧困や飢餓などの問題を解決するのに大きく役立つでしょうし、少なくとも、ものづくりに投資をすれば、その分雇用が増えます。現在も未来も大きく変化するはずです。

　　＊1　2014年版「ジェトロ世界貿易投資報告」より算出
　　＊2　国際決済銀行報告書 "Triennial Central Bank Survey, Global foreign

exchange market turnover in 2013"（2014年２月）より算出

「これをなおす『薬』はありますか？」

　社会の仕組みにかかわることですから、ことは簡単ではありません。しかし、まず必要なことは、「もうけ方」を規制するルールをつくることです。「もうけるな」ということではありません。やみくもに「もうけ」に走ってもいいような状態をあらためるということです。
　「18章　幸福はお金で買えるだろうか」で見たように、そもそも資本のもうけの大もとは、労働者が生み出したものでした（剰余価値）。ですから資本は、より多くのもうけを手に入れるために、労働者への搾取を強めます。これを規制する、やりすぎをおさえる、つまり「ハムスターのまわし車」にブレーキをかけることが大事です。ルールある経済社会にするということです。
　例えば、次のようなルールが必要になるでしょう。
　──「サービス残業」をなくすとともに、有給休暇が全部とれるようにし、週休２日制を完全実施して、長時間労働をなくす。
　──最低賃金を抜本的に引き上げる（中小企業への支援をしながら）。
　──非正規労働者を正社員にする。
　──雇用保険を拡充し、失業しても安心して再就職できるようにする。
　──中小企業の下請け単価を引き上げる。
　これらは大企業に社会にたいする責任をはたさせるものです。同時に長い目でみると、国民の所得や余暇の時間が増えれば、大企業も外

国への輸出だのみではなく、日本にしっかり根をおろして、健全に発展していくことが可能になるのです。
　すでにヨーロッパ（欧州連合）では、こうしたルールづくりがすすめられています。例えば、残業もふくめて週48時間を超えた労働を禁止し、パートタイムとフルタイム、派遣労働者と正社員を平等に待遇することなどが決められています。また、労働組合と経営者団体などが相談してルールづくりをする仕組みもできています。
　ヨーロッパでできたものが、日本でできないはずがありません。

V
その次にくる社会を想う

21章
浪費社会からぬけだす

「効率のいい人間ですか？」

　良くないです。焦ると無駄に汗をかくなど、私は熱効率が悪い生き物だと思います。

　それはともかく、どこの会社も、効率よく仕事をすること、無駄をはぶくことを求めます。しかし、今の社会全体はまったく「効率的」ではありません。私たちは、とても大きな浪費、「ムダ」のなかに生きているのです。

　賞味期限（消費期限でなく）が近くなっただけで廃棄される食料品は少なくありません。日本国内の年間食品廃棄量は約1700万トンです（消費者庁「平成26年版消費者白書」）。これは世界の6000万人以上が1年間食べていける量だといわれます。国連の報告によると、世界の飢餓人口は7億9500万人で、世界の約9人に1人が飢餓におちいっています（「世界の食料不安の現状2015年報告」）。

　例えば、コンビニの弁当が賞味期限切れで大量に捨てられているこ

とが、大きな問題になりました。あるコンビニ会社の場合、消費期限午後7時の弁当は、その2時間前、午後5時には自動的にレジを通過しなくなり、販売できなくなる仕組みになっていました。コンビニは、全国で5万軒あるといわれますが、もし各店が弁当を1日20食捨てるとすると、1日に100万食が「ムダ」になるわけです。

「このムダは会社の損になるのでは？」

実際はその逆です。

ムダを気にしないからこそ、弁当をできるだけ多く売れるのです。もうけを最大にするには、お客さんが来たときに売り切れではいけないのです。しかも、売れ残りは、店の負担で廃棄することになっています。そうするとそれぞれのお店は、必死に売ろうとしますし、親会社には損はいきません。

私たちの周りには、このように「もうけのためのムダ」がかなりあります。テレビCMではつねに新しい車の広告がながされますが、日本の場合、5年前後でまったく新しいモデル（フルモデルチェンジ）の車が登場するそうです。テレビも少し前にデジタル放送を受信できる液晶テレビを買わされたかとおもったら、最近は4Kといって、よりきめ細かい画質のテレビが、さかんに宣伝されています。さらに、スーパーハイビジョンといわれる8Kも開発中です。

こうした新しい製品を宣伝するための費用は日本全体で6兆円をこえます（電通「2014年 日本の広告費」）。

パソコンや家電製品などは修理すれば使えても、「新しいものを買った方が安い」ということがかなりあります。企業にしてみれば、古

い製品の部品をとっておく費用や、修理の手間などを考えれば、新しいものを売りつけた方が、もうけが大きいからです。

　このように私たち消費者の目からみれば、浪費、ムダと思えるものが、「もうけ第一主義」の資本主義ではムダではないのです。電力などエネルギーを浪費し、自然を壊しても、新しい商品をつくり、ありあまる商品のなかで、消費者をCMなどで刺激しつづけて、最大限、ものを買わせ、もうけを増やしつづける──「浪費」は、そのために必要なコストなのです。

「ムダのために働くことも浪費ではないですか？」

　その通りです。とても大事なポイントです。
　必要のないものをつくらされているということは、働き手の体力と知力を無駄づかいしていると言えます。人間を浪費していると言って

もいいでしょう。

　「朝早くから夜遅くまで会社にいて行動を管理され、周囲から激しいことを言われる状況の中で、それに対して自分がなくなってしまいました。自分がどんな人間で、何を考え、何を表現すればいいのかわかりません。もう少し強い自分でありたかったです」（＊1）

これは過労自殺した20代女性のノートに記された言葉です。
　彼女が平均的に生きたとすればあと60年以上の生活があったはずです。その喜怒哀楽に彩られた人生は何ものにも代えがたい価値があったでしょう。多くの人々と出会い、愛するパートナーとむすばれ、子や孫にもめぐまれたかもしれません。それらを奪う働かせ方を、人間の浪費と言わずしてなんでしょう。
　過労死にいたらなくても、「疲れて帰ってきたら何もやる気が出ない」「休日は体をやすめるだけ」「いつも仕事のプレッシャーがつきまとう」といった状況も、人間浪費の結果だと言いたい。人間は会社に奉仕するために生まれてきたのではなく、人間として生きるために生まれてきたのです。現代の浪費社会、資本主義の社会にたいし「人間をかえせ」と訴えたいと思います。

　　＊1　川人博『過労死・過労自殺大国ニッポン──人間の尊厳を求めて』（編書房、2010年）

「人間は浪費をつづけて破滅するのですか？」

　こうした浪費社会の原因である資本主義の「もうけ第一主義」からぬけだすべきだと、多くの人々が思うようになるならば、けっして未来は暗くないと思います。
　この浪費が一掃されたら、社会と経済のどんな素晴らしい発展がもたらされるか、その可能性ははかり知れないものがあります。国連は2030年までに、世界中から貧困や飢餓をなくすこと、再生可能エネルギーを探して、森林破壊や海の汚染、気候変動をくいとめること、さらには、男女平等の実現や格差の解消などを目標にかかげています（「我々の世界を変革する：2030年への持続可能な発展に向けたアジェンダ」）。この目標達成には、まだ数百億ドル（数兆円）の資金が不足していると言われますが、それは、世界の１日の外為取引額にすぎません。この不合理をただすだけでも、世界は大きく変わるのです。その先には、私たちがめざすべき人間らしい、未来社会があるはずです。
　これまで見たような無駄や浪費がただされるなら、今日の経済レベルでも、すべての国民が「健康で文化的な最低限度の生活」（日本国憲法25条）をおくり、労働時間を大幅に短くすることができるでしょう。そうすれば、人間として、いろいろな能力や個性を発揮することができるようになり、それが社会と経済をもっと豊かに発展させる力にもなるに違いありません。

22章
なぜ未来への希望がもてるのか

「資本主義にかわるものはどこから来るのですか？」

　学生時代に、「人間の未来をひらいてくれるのは宇宙人だ」と面白がって話す友人がいました。つまり、遠い星から地球に来られるような生物は、高度な科学技術をもっているに違いない。すでに資本主義を終えていて、いま人類がかかえる問題はほとんど解決しているだろう。だから、その宇宙人が人間を、よりより社会に導いてくれるはずだ、というものです。宇宙人が侵略者ではなく、救世主であるというところがユニークでした。

　そんな宇宙人があらわれる気配はありませんが、資本主義の発展自身が、実は、次の社会の土台をつくっているのです。未来への"芽"は、今の社会のなかにあるのです。

　資本主義が発展させてきたものはいろいろあります。科学技術が飛躍的に発展し、その活用が広がってきました。それまで一人か数人の職人でものを作っていた作業が、何百人、何千人という人々が協力し

てものをつくるようになりました。地域の開発や都市計画がおこなわれるようになり、土地や空間も計画的に利用されてきました。そして、経済のグローバル化が生活のすみずみに浸透するようになっています。

こうしたものが、次の新しい社会をつくるうえで役立つのです。

とくに重要なことは、生産が多くの人たちの共同した作業になり、それが大規模になることです。そして、ものをつくる道具や手段も一人で使いこなせるものから、共同して動かさないといけないものへと変わっていっていることです（18章の自動車の生産ラインの話）。個人や家族でやっていたことが、大集団でないとできなくなる。生産が社会化するということです。多くの人たちが共同作業をするのですから、指揮する人は必要かもしれませんが、何もしないで、もうけだけ吸いあげる資本家は必要なくなります。こうして、資本主義は、自分の手で、次の社会にすすむ準備をしているのです。

「では、自然と次の社会にすすんでいきますか？」

この本を読まれてきた方はもうおわかりだと思いますが、社会が自然と変わっていくことはありません。それを意識してすすめる人々が必要です。そして、資本主義を終わらせて、次の社会にすすむ担い手を生み出すのも、資本主義自身です。

例えば、共同して働くことを通じて、労働者は力をあわせて活動するスキルを身につけていきます。今日の職場では、人々が連絡をとりあい、協力しなければいけません。それはネットワークをつくって運動することにも役立ちます。必要なときにつながるだけでなく、持続的に活動をすすめるためには、労働組合などの組織がつくられます。

これらが、社会を変える力となって成長していくのです。人々が力をあわせて立ち上がって運動できるように資本主義が労働者を「訓練」しているようなものです。
　このように資本主義は危機がふかまり、立ちゆかなくなって、枯れていくように消えるのではありません。資本主義が発展していくように見えて、実は、そのなかで次の社会の土台が準備されている。とくに、意識して次にすすもうとする人たちが増えて（仲間を増やして）、行動に立ち上がっていく――これが重要なポイントです。ここに、私たちが未来への希望をもちつづけることのできる根拠があると言えるでしょう。

23章
人間の未来へのヒント

　「資本主義の次の社会」という言葉を使ってきましたが、その具体的な中身については何も語ってきませんでした。それは、社会を変えるといっても、多くの運動は、これを実現しよう、あれを改善しようという具体的な課題で一致して行動するもので、何か特定のモデルの社会を実現するために集まっているわけではないからです。
　ですから、ここでは、どんな未来の社会が考えられるのか、これまでの流れを少しはなれて、自由に考えてみたいと思います。

　「資本主義の次の社会で目標にすべきことは何でしょう？」

　その目標は、「もうけ第一主義」が社会全体をおおいつくす状況を終わらせ、人々の労働を、資本家や会社のためではなく、自分自身と社会のための活動という、人間らしいあり方に取り戻すということです。つまり「働く者が主役」という社会です。
　それを実現する基本的な方法は、生産活動に必要な手段を資本家の

手から、社会全体の手に移すことです（「生産手段の社会化」と言います）。企業の社会的責任ということが言われるように、経済活動、生産活動は多くの国民に支えられた社会的な活動になっています。ところが、どんな大企業でも、その工場、機械、土地、建物、原材料など、経済活動に必要なものは、資本家の所有物、すなわち私的なものです。「もうけ第一主義」もそこから生まれてきます。

　資本主義の次の社会とは、この点をあらためて、生産の手段を社会（国民）が所有し、管理し、運営するということです。

【補足】「国有化」というのもその一つかもしれませんが、政府が所有するということだけだと、資本家にかわって官僚や利権政治家が牛耳ることになって、必ずしも「生産者が主役」とはならない危険もあります。

　いずれにせよ、具体的なあり方は、将来の課題です。どのような形がいいのか、そのときの状況に応じて、ベストな方法を国民的な議論もへて、選んでいくことになるでしょう。

「社会化で『労働』はどうかわるのですか？」

　ある世論調査（＊1）を紹介しましょう。「あなたにとって理想の仕事とは何か」という問いに対して、一番多かった答えは「自分にとって楽しい仕事」でした（61.4％。2位は「収入が安定している仕事」60.6％）。「楽しい」ことが理想だということは、きっと楽しくない人が多いのでしょう。

楽しくない理由はいろいろあるでしょう。仕事がきつかったり、職場の人間関係がよくなかったり、そもそも仕事の中身が嫌だったり。ただ、共通しているのは、会社の目的に従わされているということです。人間は自分の意志や気持ちにもとづいて行動しているときが楽しいのです。おしつけられたものは楽しくありません。

　生産手段の社会化によって、この関係は根本的に変わります。他人に雇われて、そのもうけを増やすために働くのではなく、自分のため、そして社会のためになります。もうけをできるだけ大きくすることをめざして、社会が必要としている以上のものを作るようなことはなくなります。賃金を安くおさえる必要もありません。そして、労働時間がグッと短くなるでしょう。そうなれば、無用なプレッシャーやギスギスした人間関係も相当減るのではないでしょうか。時間的な余裕は、体と心の余裕でもあります。「満員電車で体調を崩した」「休み明けのことを考えてブルーになる」——こんなこともなくなるでしょう。多くの人が「仕事は楽しい」と感じられるような社会に近づくことは確かです。

　また、先に見た格差と貧困、原発問題や環境破壊、浪費の問題などの根本的な解決にも、本腰を入れてとりくむことのできる社会になるでしょう。

　　＊1　内閣府「国民生活に関する世論調査」平成26年度

「『楽しい仕事』が人間社会のゴールですか？」

　いえ、「ゴール」ではなく、むしろ「スタート」だと言った方が良

いでしょう。本当の人間の発展はそこからはじまるのです。

　例えば、いくら「楽しい仕事」だといっても、自分の生活や社会のために「しなければならない仕事」であることに変わりはありません。

　いま仕事に熱心な人であっても、「自分の時間に生きがいを感じる」「自分の時間を大事にしたい」と思う人は少なくありません。

　しかし、職場では「旅行に行きたいので休暇ください」とか「今週は、ゆっくりしたいので休んじゃいます」とか、言いだしにくいものです。

　会社と家畜をあわせた「社畜」という造語があります。家畜は一日中働いて、食べて休息します。それ以外のことはしません。納屋で、音楽を聴いたり、本を読んだり、自分の時間を楽しむ馬や牛はいません。つまり、自分で好きなように使える時間がないのは、家畜と同じだ、人間らしくないという意味です。

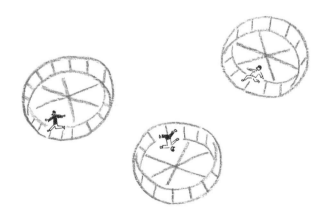

　人間らしく生きるためには、自由な時間が必要なのです。ここに、人類の未来にとって大事な問題があります。

人間の歴史をふりかえってみると、原始の社会では、みんなが懸命に働かないといけなかったので、自由な時間はあまりなかったと思われます。海をながめながら物思いにふけり、愛の言葉を思い悩んだりすることもなかったでしょう。

　その後、生産力が発展して、毎日四六時中食べ物を探したり、作ったりしなくてもよくなると、余裕がでてきます。文化的な活動をする時間も増えて、絵画や彫刻、建築も豊かに発展をとげます。共同生活をまとめる仕組み＝政治もできて、宗教も社会や政治とむすびついたものへと変わっていきます。ただ、そういうことを考えるのは、支配的な一握りの人間だけに限られ、多くの人々はそのもとで、懸命に働き続けなければなりませんでした。奴隷制や封建時代の社会を想像すればわかると思います。

　「13章 『永遠の愛』はあるのだろうか」でも紹介したように、平安時代には、女性によるすばらしい文学作品も生まれましたが、それは、彼女たちが自由な時間をもてた貴族の一員だったからです。

　しかし、経済も発展して、資本主義の時代になると、人々の自由な時間は大幅に増えました。教育を受ける人々もぐっと増えます。そのなかから、新しい発明や発見もうまれ、科学技術も進歩し、経済もさらに発展していきました。また、人権や民主主義、自由の思想も生まれ、多くの市民が政治や社会のことを考え、発言し、そして社会を変えるようになりました。

　市民一人ひとりが、自分の頭で考え、行動できる自由な時間をもっていること、またその時間が増えていくことが、人間社会の発展にとって欠かせないことなのです。

　生産手段の社会化によって、どれだけ楽しく働けたとしても、食べ

て、暮らしていくには、働かなければなりません。それに、社会を運営する行政の仕事、運輸、通信、医療など社会のためにやらなければならない仕事もあります。それらには義務感が残ります。しかし、その「義務的な時間」も短くし、「自由な時間」をさらに増やしていく──これが未来社会の大きな方向です。

　いまでも社会が必要とする仕事を、すべての人々が分担しておこなえば、労働時間の大幅な短縮が可能です。今の日本の経済のレベルからすれば、「週3日労働制も遠い将来のことではない」とも言われます。

　科学技術の発展も新しい社会の可能性を示しています。

　AI＝人工知能をもったロボットはいまや、人の表情から感情をよみとって、会話をおこなえるものや、人間のように器用で素早い動きができるようなものも登場しています。多くの仕事を近い将来、ロボットがこなすようになっても不思議ではありません。

　アメリカの調査（＊2）によると「2025年までにロボットやAIの進化によって人間は仕事を奪われるか？」という問いにたいして、専門家や学者の半分近く（48％）が人間の大部分の仕事がロボットに取って代わられると回答しています。Google社の幹部（＊3）は、「（ロボットが人間から）『より多くの仕事を奪う』ということが、『退屈な、繰り返しの、不快な仕事をなくす』ことを意味するなら、それは歓迎すべきことだ」「様々なロボットは、仕事の量を減らすが、（雇用ではなく）労働時間を減らすだろう」と言っています。そして、仕事ばかりでなく、「労働と余暇のよりバランスのとれた将来がくる」と予想しています。

23章　人間の未来へのヒント

*2　ピュー・リサーチ・センターが識者1896人に回答を求めたもの（2014年8月6日）。AI, Robotics, and the Future of Jobs | Pew Research Center's Internet & American Life Project http://www.pewinternet.org/2014/08/06/future-of-jobs/
*3　ハル・バリアン氏。Google社チーフ・エコノミスト、カリフォルニア大学名誉教授

　この自由な時間を飛躍的に拡大していくことで、人間の生活と社会に大変化がおきるでしょう。
　それは、一人ひとりがこれまで以上に、いろいろなことを考えたり、友人と語り合ったり、作品を創ったり、研究したり、ボランティアに参加したり、旅行をしたり、充実した人生を送り、人間らしく成長・発達していくこと、そうしたこと自体が大きな目的になるような社会への発展です。別の言い方をすれば、一人ひとりの発達が、社会をささえ、発展させる力になるような社会です。
　これまで才能があっても、経済的な理由などから、それを花開かせることができなかった多くの人たちが、そのチャンスを手にできるはずです。また一部の専門家だけがおこなってきた研究や調査も、もっと幅広い人々が参加できるようになるでしょう。さらに、人々の自由な発想が、これまでにない豊かな作品や製品を生みだすに違いありません。そして、自由なゆとりをもった人間同士の関係も、これまでとは違った発展をとげるでしょう。それは文字通り、人間がもっている様々な能力を生かし、一人ひとりの発達と成長が保障される社会です。それは、本当の意味での人間の歴史がはじまる「スタート」だと言っても言い過ぎではないでしょう。

さいごに —— 自由へのたたかい

　ニューヨーク生まれの女性シンガー、ラナ・デル・レイ（Lana Del Rey）が歌う《Born To Die》という曲があります。直訳すれば「死ぬために生まれた」です。イギリスのアルバム・チャートでは初登場で1位。YouTubeにアップされたPV（＊）が再生回数2億回をこえるヒット曲です。　　　＊ https://www.youtube.com/watch?v=Bag1gUxuU0g

　グザヴィエ・ドラン（Xavier Dolan）は自身が監督した映画《Mammy》のなかでこの曲を使っています。注意欠陥多動性障害（ADHD）という、衝動的な行動をおさえられない発達障害をかかえた息子スティーヴと母ダイアンが、様々なトラブル、母子家庭への差別と偏見、生活苦と格闘しながら生き抜いていく物語です。弱さをかかえながらも、果敢に社会に立ち向かい、闘争する二人の姿に希望を与えられる作品です。そのラストにこの曲が流れるのです。

　　私を悲しませないで、泣かせないで
　　愛だけじゃダメな時もあるし、道が険しいこともある
　　理由はわからない
　　でも笑っていさせて
　　道は長い、だけど私たちはすすむ
　　楽しいこともやりながら　　　　　　　　　　　（筆者訳）

たしかに私たちは日々、死に向かって生きています。もし、死ぬことがなければ、生きることの意味も考える必要はないでしょう。生きることに苦しみが伴わなければ、「幸せ」や「楽しさ」という言葉もなかったかもしれません。喜怒哀楽を表す歌も詩も、文学も、絵画も生まれなかったでしょう。

　人間らしく生きていくうえで大事なものはたくさんあります。しかし、もっとも欠かせないと思うのは、どんなに小さくとも自由が手にあること、そしてそれを生かす時間があることです。
　自由とは自分の意思で何かを選び取り、行動できることです。将来、どんな職につき、どんな暮らしをするのか、そして、誰を愛するのか。これらを自分で決めることができる自由。「今晩は何を食べようか」と考え、それを実行できれば、それも自由の一つです。親の「さしず」から自由になるための反抗。同僚やクラスメートの誘いを断る勇気。結婚し、子どもを産み、育てる決意。恋人と別れ、離婚する決断。就職する選択。仕事を辞める決意。すべてが自分を選ぶためのたたかい。自由のためのたたかいです。
　しかし、現代社会では、その小さな自由の一つひとつが難しくなっています。世界の紛争地では、そこで生きることも、死ぬことも、自分の意思で選べない人々もいます。自由とは、人間が希望をもって生きるうえで欠かせないものです。自由を阻むものにたいして、声をあげ、抵抗することは、私が「わたし」であるために不可欠のものです。

　巨大な社会のなかで、一人ひとりが自分であろうとする闘争は、と

ても小さなたたかいです。しかし、そのたたかいに、あなた自身の存在がかかっています。そして、この自由を求めるたたかいこそ、人類の未来をひらく力なのです。

　　　　　　　　　　　　　　　2015年9月　川田忠明

装丁・装画●宮川和夫

挿絵●HITO

川田忠明（かわた・ただあき）

1959年生まれ。東京大学経済学部卒。世界40か国以上を訪れ、各国の平和団体などと交流。日本平和委員会常任理事、原水爆禁止日本協議会全国担当常任理事などを務める。日本平和学会会員。
著書に『それぞれの「戦争論」――そこにいた人たち1937・南京－2004・イラク』（唯学書房、2004年）、『名作の戦争論』（新日本出版社、2008年）。共著書に『Neue Kriege in Sicht（目の前の新しい戦争）』（Jenior Verlag, 2006）、自治労連・地方自治問題研究機構編『脱日米同盟と自治体・住民――憲法・安保・基地・沖縄』（大月書店、2010年）、小沢隆一・丸山重威編『民主党政権下の日米安保』（花伝社、2011年）など。

社会を変える23章 そして自分も変わる

2015年10月30日 初版

著 者　川　田　忠　明
発行者　田　所　　稔

郵便番号　151-0051　東京都渋谷区千駄ヶ谷4-25-6
発 行 所 株式会社 新 日 本 出 版 社
電話　03（3423）8402（営業）
　　　03（3423）9323（編集）
www.shinnihon-net.co.jp
info@shinnihon-net.co.jp
振替番号　00130-0-13681
印刷・製本　光陽メディア

落丁・乱丁がありましたらおとりかえいたします。
© Tadaaki Kawata 2015
ISBN978-4-406-05938-1 C0036 Printed in Japan

〈日本複製権センター委託出版物〉
本書を無断で複写複製（コピー）することは、著作権法上の例外を除き、禁じられています。本書をコピーされる場合は、事前に日本複製権センター（03-3401-2382）の許諾を受けてください。